Domingo de Revolución

Wendy Guerra

Domingo
de Revolución

EDITORIAL ANAGRAMA
BARCELONA

Ilustración: foto © Ivan Suzzarini, retoque de Luis Soler

Primera edición: abril 2016

Diseño de la colección: Julio Vivas y Estudio A

© Wendy Guerra, 2016

© EDITORIAL ANAGRAMA, S. A., 2016
   Pedró de la Creu, 58
   08034 Barcelona

ISBN: 978-84-339-9810-1
Depósito Legal: B. 5148-2016

Printed in Spain

Liberdúplex, S. L. U., ctra. BV 2249, km 7,4 - Polígono Torrentfondo
08791 Sant Llorenç d'Hortons

A Gabo

Bárbara pegó su cara pálida a los barrotes de hierro y miró a través de ellos. Automóviles pintados de verde y amarillo, hombres afeitados y mujeres sonrientes, pasaban muy cerca, en un claro desfile cortado a iguales tramos por entrecruzamiento de lanzas de la reja. Al fondo estaba el mar.

DULCE MARÍA LOYNAZ, *Jardín*

¿Cómo contar todo esto sin ensuciar mis páginas?

I

Debo ser la única persona que hoy se siente sola en La Habana. Vivo en esta ciudad promiscua, intensa, atolondrada y dispersa donde la intimidad y la discreción, el silencio y el secreto, son casi un milagro, ese lugar en que la luz te encuentra allí donde te escondas. Tal vez por eso cuando uno aquí se siente solo es porque en verdad ha sido abandonado.

No estudies tanto y aprende, decía mi madre desde el fondo de mis sueños.

Soy de las que creen que siempre todo puede ser peor, pero esta vez estaba segura de que lo terrible ya había pasado, nada peor podía esperarme, y eso fue lo que aprendí durante esos meses tendida, delirando, apartada del mundo y de mí.

Una mañana soleada, muy parecida a todas las del año que pasé en cama, sonó el teléfono. El aparato tenía encima una montaña de ropa interior sucia, cajas de galletas chinas y demás sobras del encierro. Como se acabaron los pésames y aquí ya no queda quien desee saber de mí, suena poco. Sonó el teléfono. La última vez fue hace tres semanas, era mi amigo Armando desde Nueva York. Su pésame era claro, me cantó la letra de un guaguancó conocido que reza: *Yo no tengo madre, yo no tengo padre, yo no tengo a nadie que me quiera a mí,* lanzó una carcajada nerviosa y colgó enseguida. Sí, Armando sabe que odio los pésames, su sentido del humor es superior a mi drama. Sonó y sonó el teléfono insistentemente, tanto que me dio tiempo a incorporarme y hasta a encontrarlo debajo de la loma de desechos. ¿Quién será? Ya no quedan familiares disponibles para las malas noticias, tampoco permito que venga Márgara, nuestra empleada de toda la vida. Sospecho hasta de mi sombra, no quiero a nadie observándome. El teléfono no parecía dejar de sonar, así que lo tomé tranquila, estaba más allá del sonido irritante, y más allá de cualquier anuncio fatídico que no fuera mi propia muerte.

Una editora catalana llamaba para anunciar que había sido ganadora del gran premio, tenía a mi disposición cincuenta mil euros y una edición de no sé cuántos miles de ejemplares. ¿Quería viajar a España el próximo mes para hacer la publicidad del libro? ¿Me daría tiempo «antes del suicidio»? Bromeó parafraseando el título de mi obra. Dije a todo que sí y luego me castigué bajo el agua helada para sacar el vinagre de mi cuerpo. Di por terminados los breves baños de asiento que tomaba a veces, sólo cuando decidía incorporarme. La columna se me compuso en el acto y, aunque no tenía a quien llamar, aparecieron muchas personas, periodistas y amigos de mi madre. Autores cubanos que estaban fuera y curiosos que necesitaban saber cómo hice para tener algo que seguramente no merecía.

No podía creerlo, y a la vez, si lo pensaba, era todo lo que esperaba de la vida. A mis treinta y tantos,

15

me venía como anillo al dedo. Un golpe de timón que guiara el futuro, lo contrario sería caer en la cama, tumbada con los ojos abiertos y la mente en blanco.

¿Qué ha sido este año? Recordar lo sucedido con mis padres y las fuertes presiones que vinieron después de su muerte.

Cerrar los ojos para sentir la lluvia de plata y dolor, el estallido dilatado que convirtió en cenizas a las únicas personas que guiaban mi vida. Cerrar los ojos es abrirlos a la muerte.

Hubo días en que me preguntaba para qué me salvé. ¿Valdría la pena lo que sigue? ¿Por qué se mantenían en silencio conmigo? ¿Sospechaban de su única hija? ¿Por qué tantos interrogatorios después de su muerte? ¿Quiénes eran ellos en realidad? Había algo más que «Papá» y «Mamá» detrás de sus nombres.

Me levantaba muy poco de la cama. Casi siempre me despertaba el timbre. Eran ellos, los «segurosos», nunca me equivocaba, nadie más quería involucrarse en mi tragedia. Hacía pasar a los oficiales hasta mi cuarto. Olía mal, sí, pero no quería hacer nada por eso.

Los militares vestidos de civil ni siquiera me miraban, estaban obsesionados con la idea de que no me comunicara con nadie, que no opinara, que no diera entrevistas. ¿Entrevistas? ¿A quién? ¿Para qué? Nadie me contactaba. Ellos insistían, exigían silencio, me pedían un voto de confianza. ¿Más silencio? ¿Qué hay después del mutismo profundo? ¿Qué hay des-

16

pués de la espesa afonía que destapa la muerte de lo único que te queda? Aquí no hay con quien hablar o comunicarse. Los vecinos me tocan para traerme leche, un plato de comida que me obligo a tragar o vomito antes de digerirla, pero no recibo a nadie más, estoy fuera de juego. Yo no existo.

Uno de los oficiales me preguntó si reconocía a mi padre en mi padre. ¿Qué? ¿Qué me quiere decir? No entiendo. Eso sí acabó trastornándome. Cuando uno está deprimido cualquier idea abstracta lo perturba. Estaba metida en una pesadilla, y los ojos claros del oficial me producían vértigo, ganas de vomitar, necesitaba estar sola y decidí, a partir de ese día, no abrirle la puerta a nadie.

Ha pasado un largo año y hoy puedo reconstruirlo con los ojos abiertos, haber visto, desde dentro, cómo a la entrada de Varadero, en un aparatoso accidente automovilístico, se pulverizaron sus cuerpos en el aire. Desaparecieron y ya. ¿Cómo pude salvarme? No lo sé. Los milagros existen, y yo soy la prueba. ¿Por qué salvarme a mí, la más inútil de todos los que viajaban en aquel artefacto ruso?

No derramé una lágrima, me ocupé de todo y de todos como una autómata.

¿Sufría o sufro? Al fin caí. ¿Eso me hacía una mejor persona? Asomaba el ser humano entre las rejas de mi carácter masculino e indómito, por fin estaba tendida en la cama, con mareos y vómitos, una inestabilidad creada por los dolores de columna y una depresión que venía de mi otro yo, el personaje que verdaderamente escribió el libro de poemas. El único libro, el del premio. *Antes del suicidio.*

Bailaba sola para caer rendida, giraba en círculo con una copa de vino hasta marearme, llegaba al suelo, apenas podía recuperarme del vahído, pero me era imposible conciliar el sueño. Tragaba pastillas para dormir, abría la boca como lo hace un oso amaestrado que engulle el azúcar como premio a sus esfuerzos. Mi premio era rendirme. ¿Es mucho pedir desconectar seis horas? Tampoco eso me había tocado para poder escapar de mí y liberar, brevemente, a los pocos que aún me padecen.

Al amanecer recorría las mismas direcciones de siempre, donde ya no vivían los amigos que habían abandonado el país. Salía espantada intentando apurar el paso hasta conseguir el mismo rumbo de mi corazón. Muchas veces durante mis paseos buscaba un teléfono público y me llamaba a mí misma para escuchar mi voz en el contestador.

La Habana para mí ya no es una capital, se hace pequeña, mediocre, su belleza no va a impedir que se extinga; una ciudad la hace su gente, entre las ruinas y la diáspora la estamos liquidando. Desconozco a sus habitantes, tienen acento de la costa norte o del sur de Oriente o una conducta tribal que no se parece en nada a la de la ciudad que me presentaron en la infancia. Hay como una *haitianización* en la conducta de los seres que llegan a habitarla. Se come de pie, con el

18

plato en la mano, o se camina masticando cualquier cosa en las calles de Centro Habana, La Lisa, El Cerro; las malas palabras y los golpes forman parte del paisaje, las aguas albañales abren una zanja entre dos aceras, y la música percute compitiendo y ganándole al silencio o las buenas maneras. De regreso por sus calles, venciendo sus rutas interiores en busca de alimentos o para ultimar ciertas gestiones inaplazables, terminas gritando o enmudeciendo de ira. La Habana empieza a ser tu enemigo, sus habitantes, su incomodidad, la imposibilidad de estar bien, todo colabora en tu contra. Ese lugar que fue sublime hoy te agrede.

En medio de todo esto había escrito algunos poemas muy dramáticos, desgarrados con o sin razón. Aún no estaba enferma, podía entonces escribir fingiendo estar medicada hasta las narices pero con la salud de quien sólo encarna un frágil papel por un breve período de tiempo.

Cuando uno se hace el loco termina enloqueciendo, y creo que al terminar mi primer poemario, *Antes del suicidio*, caí realmente enferma. Me sentí como una gallina vieja y desplumada, de esas que, tras retorcerles el pescuezo, sobreviven milagrosamente a la muerte en el caldero humeante; y así, abandonada sobre la cama, aletargada y confusa, alargué el desagradable invierno tropical, postergué asuntos burocráticos tales como poner la casa de mis padres a mi nombre o abrir una cuenta de banco con lo que ellos me dejaron en pesos cubanos; comía lo que me traía cualquier vecina cuando podía y no comía cuando nadie me hacía el favor, y hasta dejé de revisar el correo e incluso de ducharme. Me hice adicta a aquellas cremas mentoladas que heredé de mi madre y decidí padecer hasta que el cuerpo aguantara y se arreglara solo.

No, no voy al médico en Cuba porque desde niña intuí que en el laboratorio de mi padre inyectaban veneno a personas sospechosas o incómodas al sistema, también pienso que a ellos les quitaron los frenos para que se desaparecieran de una vez en el aire, llevándose consigo esos secretos de envenenamiento farmacológico que habían amenazado con hacer públicos si los seguían presionando. Después de imaginar el infierno de mis padres en el Polo Científico, yo no estaba dispuesta a ser parte de ese plan infinito.

Un día antes de declararme enferma, una mañana de lunes, caminé hasta el correo que está en los portales de Infanta, escribí en un sobre amarillo reciclado el nombre del remitente y, pasando la lengua a la goma ácida, lo cerré. El sonido del buzón susurró: «Ya está.» Había enviado a un concurso en España mi primer poemario, no tenía nada más a lo que apostar o perder, y si lo hice fue como última salida al acorralamiento.

El vómito de los portales, el olor a frito y la voz de los vecinos peleando me sacaron de la idea. El repiqueteo de las tumbadoras de un «toque de santo» anunciaban que no resistiría aquello por mucho tiempo, el contexto me sacaría a patadas. La ciudad que amaba ya se había extinguido con amigos y todo. En el momento en que abandoné el libro en ese buzón estuve a punto de permitirme presentir que me darían el premio, salí corriendo por los portales, la neurosis no me deja permanecer alerta con pensamientos agradables. La realidad colabora y te derriba cualquier indicio de triunfo por pequeño o luminoso que sea.

Pero, en contra de toda mi negatividad, gané, gané, mis poemas se defendieron solos y renacimos juntos.

Cuando salí de La Habana, de nadie me despedí, en el mismo aeropuerto me contactó un señor que evitó presentarse con su nombre. Era un burócrata con ademanes de político, manos temblorosas, olor a nicotina y un tic nervioso en los ojos. Según él, mi libro no sería tomado en cuenta por la oficialidad, ni se haría el anuncio del premio dentro de Cuba. Me invitó a valorar la idea de no regresar por el momento. El compañero de la guayabera era un ignorante con entusiasmo y me comunicó que el imperialismo estaba detrás de mi premio, un premio sólo merecido por una maniobra publicitaria a causa de la muerte de mis padres. Su discurso me regaló varias claves de cómo ha funcionado la censura durante todos estos años. Dijo ser un funcionario. ¿Un funcionario? ¿Alguien que se durmió en la época del caso Padilla y despertó hoy? Dicen que esas cosas ya no pasan. En realidad sólo tuve un rato para asustarme, luego vinieron los controles, el avión, y, al despertar, Madrid borró esa visión miedosa y provinciana que intentaban imponerme en este viaje, la perspectiva estrecha que encuentra al *imperialismo* detrás de un premio de poesía escrito por una desocupada. En cualquier caso, ¿qué tienen que ver mis padres con esto? Ellos no estaban a gusto con mi poesía, no la comprendían. Yo no tenía nada que perder, nunca he trabajado para el Estado, no pertenezco a un ministerio y todo eso me pareció ridículo. ¿Por qué el imperialismo querría premiar mi trabajo?

La librería de El Corte Inglés y La Casa del Libro estaban engalanadas con la portada de *Antes del suicidio*, el semblante renacentista de una ahorcada y un pergamino sin terminar. Un guiño que llama la atención sobre el contenido del poemario.

Luego vino una crítica sobria, excelente, cenas con lo que vale y brilla de la literatura española. Traducciones, firmas, ferias. Visité algunos museos, me compré unas botas rojas, un abrigo verde botella y unos aretes de oro blanco parecidos a los que perdí en mi infancia. Completé tres maletas de libros, entre ellos varios diccionarios antiguos, ilustrados.

Tenía que escribir otro libro. Debía demostrarle a mi editora que había vida antes y después del suicidio. Para ello solicité tres becas en Europa, intentaba asegurarme un espacio para escribir en otra parte que no fuera Cuba, y eso me parecía lo adecuado. Pasé mucho tiempo ocupada y acompañada, mis amigos de todas partes volaban a verme y yo viajé a donde pudiera encontrarlos. Cuántos reencuentros.

Cuando regresaba a Barcelona me quedaba sola nuevamente, los fines de semana o los días feriados me sentía morir. Volví a recaer en los insomnios, pasaba la noche dando vueltas por mi habitación de hotel y el amanecer me sorprendía sembrada en una cama ajena, en una vida ajena, sin saber cuál era la mía o dónde podía encontrarme con ella.

Regresé a La Habana sólo cuando tuve claro que en el invierno tendría mi billete de regreso. Con parte del dinero que gané arreglé mi casa, al fin alcancé a restaurar las viejas marinas, antiguos óleos que coleccionaba mi madre desde joven, y habilité el jardín, que se había vuelto un verdadero muladar. Puse en pie los muebles, tapicé los asientos, compré sábanas y hasta un calentador para ducharme más a menudo. ¿Esperaba algo? ¿Esperaba a alguien? No, pero la vida empezaba a funcionar como cuando éramos una familia, y aunque mi poesía y yo éramos la única familia, todo debía fluir con comodidad; debía sentir comodidad en medio de una soledad espesa que no lograba espantar con nada. Escribía al amanecer, y en las tardes intentaba caminar de El Vedado hasta la Quinta Avenida para cansarme y luego poder conciliar el sueño.

En la guía telefónica busqué y encontré los números de varios autores, organicé encuentros con escritores que admiraba desde siempre y ya consideraba mis colegas. Ellos me decían que sí pero terminaban dejándome plantada con la mesa puesta. ¿Quién era yo para invitarlos? Una fresca y una extraña, muchos ni siquiera habían leído mis textos. Poco podía hacer por socializar. Intenté invitar a los que, como yo, sufrieron el silencio épocas atrás, pero a los que quedaban aquí los habían rehabilitado y en esta cómoda situación no querían problemas. Intentaba averiguar los horarios de lanzamientos o lecturas, llegaba a ellos y allí nadie me conocía ni deseaba conocerme, o compartir un comentario o una copa de lo que ofrecieran.

¿Qué podía hacer? Vivía en un país donde, al parecer, se habían puesto de acuerdo para tirarme la puerta en la cara, o acaso era mi neurosis la que generaba ese fenómeno. ¿Qué diría mi padre? ¿Estaba comportándome como una psicópata? ¿Un solo libro con éxito en España no es razón suficiente para integrar el círculo de autores en este país? ¿Qué es el éxito? Seguí intentándolo, me volví una maldita pesadilla para la gente que se ocupaba de las publicaciones nacionales. Llevé mi libro premiado a tres editoriales, y aunque presioné e insistí, nunca recibí respuesta. ¿Por qué?

Almorzaba sola en los hoteles, a veces comía con los amigos de mis padres, que preferían no exhibirse mucho conmigo. Era una apestada, y ese sentimiento se hizo más fuerte cuando comencé a colaborar con *El País* en los tiempos que pasaba fuera de Cuba. A partir de entonces tuve varias visitas en el mes, todas de funcionarios con guayabera. Llegaban a la hora de la comida, a tiempo para «pegar la gorra», y durante sus charlas me fui dando cuenta de que me habían elevado a la categoría de disidente. ¿Por qué disidente? No se trataba de mi poesía, se trataba de mi estatus, ese que me habían fabricado ellos mismos sin darse cuenta. Tenían que colocarme en un lugar, no importaba si era real, había que colgarme un cartel, y así lo hicieron. Nadie me preguntó si mi corazón estaba a la izquierda o la derecha, nadie averiguó cuál era mi posición con respecto a este largo gobierno. Eso ya ellos lo habían resuelto por mí. Era una disidente y me estaban «dando atención».

Empecé a comprar el café que les gustaba, hacía comida criolla los martes y los jueves porque seguro enviaban a alguno de los «compañeros», mientras otros atendían al resto de los disidentes que yo, como casi todo el pueblo, desconocía. Por ellos supe cuánto ganaba un verdadero disidente, quiénes le traían el dinero y que algunos no aceptaban remesas. Aprendí que temen o respetan a unos más que a otros. Caminaba por las calles pensando que me perseguían y buscaba en la distancia un carro oficial o un personaje vestido de civil que nunca descubrí. Detecté un molesto eco en el teléfono y cada vez que necesitaba algo aparecía en mi puerta un vendedor con lo que había dicho que estaba buscando. Una impresora, papel, pluma de fuente. Mi espacio personal se volvió un espacio público.

Una madrugada decidí salir a caminar, el insomnio y el encierro me tenían harta. Pude elegir, al fin lo hice: o insomnio o encierro, pero ambos no. Comencé a contemplar la posibilidad de encontrar una pareja para compartir los nuevos poemas, la casa, el éxito y aliviar la soledad que sentía desde antes del éxito. Sí, esa madrugada frente al Malecón juré encontrar una pareja. ¿En Cuba? Únicamente que me case con uno de los oficiales de guayabera, aquí ya no me queda nadie. El salitre sonaba bajo mis pasos como polvo de vidrio que uno pisa sin querer, luego lo fui aplastando exprofeso hasta sentir que caminaba sobre las olas, y cuando estaba a punto de llegar supe cuánto de sal tiene esta ciudad, el camino de sal es la antesala para llegar a mi casa desde el mar. La Habana es una palangana de sal rodeada de agua por todas partes.

Al alcanzar mi esquina, miré el reloj de mi padre, un antiguo Cuervo y Sobrino que funcionaba como el primer día, estaba tan oscuro que no pude darme cuenta de la hora, pero por la tranquilidad del barrio supe que ya había entrado la madrugada, subí la vista y me encontré con un bulto en mi puerta, eran personas esperando, gente que no podía distinguir en la oscuridad; en medio de la sorpresa pensé que debía alumbrar esa parte de la acera. Un farol verde vendría bien en ese ángulo, musité mientras atravesaba la calle advirtiendo que eran tres personas las que llamaban a la puerta. ¿Qué querrán a estas horas?, pensé mientras apretaba el paso preocupada.

Hola, les dije sin poder esconder que estaba nerviosa. Hey, hola, contestaron a la vez. Te estábamos buscando, me dijo una de las mujeres que yo no conocía. Eran un hombre y dos chicas. Qué desean, dije sin lograr ocultar el temor. ¿Podemos pasar?, me imploraron al tiempo que señalaban al hombre. Es un poco tarde, pensé. ¿Qué desean? ¿A quién buscan? A ti, dijo la señora, estamos buscándote a ti porque... Se trata de tus poemas, ¿podemos entrar y hablar tranquilamente? ¿Mis poemas? Mi ego mordió el anzuelo. Claro que sí, dije atravesando la cerradura con la llave, lo hice rápido, con maña, porque como no podía ver nada afuera prefería entrar para entenderlo todo dentro, con luz.

Abrí las puertas y todos exclamaron maravillados al encender una lámpara ocre en el salón. Era cierto, teníamos una casa muy especial. Una de aquellas viejas mansiones de El Vedado, las mismas que las personas al pasar se preguntan de quién serán y cómo pueden mantenerse en pie. Allí estábamos, atravesando mamparas, pisando un suelo de baldosas caleidoscópicas, encendiendo lámparas *art nouveau* y, sobre todo, rompiendo el riguroso silencio que acompaña la estancia desde hace casi dos años.

Terminamos instalados en el comedor. Me senté tranquila a escucharlos. Era extraño porque hablaban y señalaban a un sujeto que supuestamente debía conocer, pero que yo no reconocía, me comentaban que en la revista de viajes de Virgin ese señor había leído mis poemas traducidos al inglés y se había enamorado de tres, especialmente de la serie *Bob Marley amanece vivo en La Habana*. Se trata de un texto hecho en tono de canción, repite como el reggae varias veces las mismas frases y las mismas palabras hasta marearnos, pero ése es un efecto de mareo visible, construido. Yo no hablo inglés, la señora delgada que me pidió entrar para conversar no paraba de traducir, era el único medio para entendernos. El matrimonio de americanos o ingleses agradecía cada palabra mía, tenían en sus manos la revista de la línea aérea. No tenía idea de que esos textos habían sido editados allí, y mucho menos traducidos. Le serví un ron a cada uno, para la traductora y para mí hice café con leche. Clareaba, faltaba poco para que amaneciera.

Mientras bebía café en mi viejo jarro de aluminio vi salir los primeros rayos de sol, la luz ámbar entró por las celosías hasta alcanzarnos; a petición de los desconocidos, sonaba Rubén González, pero todos a esas horas ya se habían dormido sobre los cojines. Fue entonces cuando descubrí la cara de Sting, miré sus cuerpos enlazados. Sí, no había dudas, eran él y su esposa Trudy quienes estaban tendidos en el suelo de mi casa, dormitando, pero aún atentos al viejo tocadiscos. Hasta ese momento no lo había notado. Por fin lo entendí. Un frío se apoderó de mi estómago, estornudé tres veces, así hago cuando estoy nerviosa. Traté de apurar el trago de café con leche con la naturalidad necesaria para levantarme e ir al baño sin despertarlos, tenía que lavarme la cara para volver en mí, hice todos los esfuerzos posibles para que ellos no se dieran cuenta de que yo no supe antes quiénes eran los extraños visitantes y por qué le daban tanta importancia a mis tres tristes poemas a Bob.

Sting en Cuba. Sí, señor, Sting y su mujer amanecían aletargados en el suelo de mi casa, eso puede

28

ocurrirnos. En Cuba cualquier cosa puede suceder, no hay que asombrarse de nada. Había escuchado muchas anécdotas de famosos viajando de incógnito a La Habana, lo que nunca pude imaginar es que Sting visitara este mi lugar, al que nadie quiere venir a acompañarme desde la muerte de mis padres. He terminado siendo una huérfana apestada, una solterona disidente, una loca incomprensible que escribe poemas para leer en los aviones. Les ofrecí un chocolate caliente antes de partir al hotel. Sting era afable, suave, espigado como una garza, delgado, y tan joven que parecía tener mi edad y no la suya. Su esposa guardaba distancia, era dura e intensa, reía por todo, reía sola, sus estrafalarios zapatos Louboutin desaparecieron debajo del gran sofá, y localizarlos nos llevó un rato.

Sting, vestido como para una clase de yoga, fresco como una lechuga a pesar de la mala noche, agarró mi cara, la apretó con fuerza para besar luego mi frente, me dio las gracias por prestarle mis tres poemas y dijo algo más en inglés sobre ellos que no alcancé a comprender. Antes de besarme por última vez, balbuceó: «Adiós, Cleopatra.» Me despedí encantada, traté de fotografiar el momento con mis ojos pues sabía que nunca más volvería a verlo, y eso no era lo importante, no soy una persona que compre un disco suyo, pero forma parte del sonido de mi generación, ese sonido que padeció la política musical, un americano por seis hispanos; por suerte él era inglés y lo canjeaban fácilmente entre mariachis o el pop argentino. Sólo quedaba ese aroma a crema de almendras y Chanel, sólo quedaba Rubén acompañando a Bob Marley sobre el piano de ese amanecer.

Me quedé en la ducha un largo rato, intentaba recordar los momentos en que escuché a Sting durante mi adolescencia, los hombres que me besaron mientras lo escuchaba. Pero nada de eso sucedió, nunca un hombre me besó escuchándolo. Ningún hombre nunca quiso besarme así antes de irse para siempre.

¿Qué quería? ¿Usar mis textos? Yo le dije que sí antes de saber quién era. Es increíble la facultad de volar que tiene la literatura, viajar sola, navegar libre, aunque la aprese estrangulándola con mis manos tensas y venosas se niega a ser una más de mis cadenas perpetuas, ella vuela con personalidad propia, se independiza de mí, de mis mordazas, y si regresa viene con otro acento.

Así mojada, me tendí en la cama para intentar conciliar el sueño. Cuando estaba a punto de dormirme sonó el teléfono.

¿Quién llamaba tan temprano? No era difícil de adivinar, los «compañeros» querían saber qué hacía «el cantante de The Police» en mi casa. Eso mismo preguntaba yo ante la mirada incisiva de tres oficiales que aparecieron de sorpresa y que pensaban les ocultaba lo mejor, mientras que para mí lo mejor era seguir libre para escribir textos que me regalaran sorpresas inexplicables como aquélla. Los «compañeros» empezaban a desconfiar, y entendí que era el momento de poner mar por medio, de lo contrario terminaría presa por recibir a *extraños ejemplares* como Sting en mi casa.

La policía cubana no escucha esa música y educarlos, explicarles la diferencia entre sus inicios en The Police y la obra toda de Sting, decirles que nada de eso haría daño a Cuba, me llevaría más tiempo del que yo disponía para ellos.

Como en el presente no encontraba a nadie que tuviera algo que ver conmigo, como sólo sentía vigilancia y vacío, decidí recuperar lo que nos habían arrancado, la normalidad de enamorarnos de personas de nuestra generación, el fluido cauce que nos desviaron o nos castraron en la marcha de esta otra guerra silenciosa.

Hice una lista de los hombres que debieron ser mis hombres, acompañarme edad por edad, etapa por etapa, aquellos que nos arrancaron, como si los mandaran a la guerra en masa, y desaparecieron en esta otra guerra por la extraña circunstancia de la diáspora. Nadie ni nada puede alejarnos de nuestro destino, me dije, y a él fui corriendo, convencida de poder recuperar algo de lo que nos habían desarraigado. Forzar el oráculo o arreglar su rumbo era para mí el siguiente paso.

II

Llegué a México con la necesidad de *reclutar* a un ex novio que me traía muy buenos recuerdos. Para eso llamé a varios amigos cubanos que había perdido en la diáspora de los noventa, y al final de la semana nos encontramos casi todos en un restaurante de La Condesa.

Aquel muchacho se había convertido en un hombre maduro, pero no perdía el espíritu de remero que le conocí. Creció en el pueblo de Cárdenas, y en el patio de su casa nacía el mar, el mismo que baña las translúcidas playas de Varadero. Desde chiquillo tenía la costumbre de apuntarse a cuanto deporte acuático se practicara en la zona, era un ganador nato, pero enseguida lo olvidaba, pues su obsesión era competir. Nos recuerdo juntos en un dueto exótico, fuimos esa pareja que nadie entendió. Su pelo rubio flotaba en el aire contrastando con mi pelo rapado y negro como azabache. Yo no practicaba deportes, lo esperaba en la orilla mientras él salía en kayak y volvía a nado para encontrarme frente a mis torpes apuntes de marinas que emborronaba sobre las cartulinas con acuarelas rusas, en ese lapso de tiempo él ganaba su mundo brazada a brazada mientras yo quedaba anclada en la orilla de nuestra adolescencia. Nadie comprendía por qué nos entendíamos tan bien, dejar hacer era justo lo que nos unía, y así fuimos los dos, dejando hacer a cada quien mientras los caminos se fueron transparentando en una gran aguada hasta desaparecer del dibujo común sin que nos diéramos cuenta.

Cuando encontré a Enzo sentí una emoción antigua, el pecho comenzó a cerrarse y al mirarlo supe que estaba ante el mismo *pez peleador*, ahora con muchas canas y un velo cenizo sobre los ojos. En esencia él era la misma persona, buceando ahora en una ciudad sin mar. Los amigos que encontré me hacían preguntas sobre Cuba. Yo intentaba explicar, en medio de la agitación, todo el panorama que había dejado atrás y del que intentaba descansar al menos unos días, pero me daba cuenta de que para ellos era importante escuchar mi testimonio, y así lo hice, intentando usar imágenes, símbolos, para dejarlos al corriente de lo que allí se vivía, narrando eso que uno cree que es la vida de todos; lo que les sucede a todos los ciudadanos es sólo una alucinación personal, fragmentos de tu realidad que el resto de los ciudadanos no se ha detenido a observar. Mientras hablaba de mí intentando evaluar una situación colectiva sentí una oleada de sinceridad, y es que siempre uno tiene sólo su parte de verdad. Yo era el último testigo del grupo de playeros vacacionistas que quedaba en la ciudad abandonada, por eso conté cada minuto de mis últimos días para describir lo que estaba sucediendo en Cuba. Al terminar mi fábula, entre lágrimas y besos, me sentí una heroína de la resistencia cubana. Ninguno de ellos era capaz de aguantar lo que aguantamos cada día, ¿para qué?, lo veía en sus ojos, allí sólo quedábamos los residuos, el resto, *el casco y la mala idea*, los extras de este desperdicio de película. Éramos las mulas de carga para avanzar al abismo que empuja el dolor, la brutalidad, la necedad incoherente y la vulgaridad, sobrellevando lo poco que nos queda de aquella utopía nacida en los años sesenta. Este sentimiento, sin dudas, venía como una anticipación del malentendido que me restaba por vivir. Así soy, una adivina insulsa que presiente cuándo la desgracia llega, se paraliza, y es incapaz de hacer algo por detenerla. Mis amigos reencontrados no me perdonaban haberme quedado, y a la vez sentían compasión por todo lo que había atravesado sola. ¿Por qué quedarse? Era la pregunta que nadie pronunció pero que el aire traía y llevaba en el aura de aquel restaurante. Eso era evidente. Al fin nos dejaron solos, Enzo y yo olvidamos el origen y salimos a caminar desafiando el peligro del DF. ¿Qué mayor peligro que todo lo contado y todo lo vivido? ¿Qué mayor peligro que haberlos perdido?

Como era un cuerpo lo que necesitaba, eso hicimos, el amor en todas partes, en el elevador de su edificio rompió el viejo abrigo de mi madre con una caricia, en su sala me desnudó para entrar como el gran buque que ha sido siempre. Así lo sentí adentrarse, rígido y viril por la acuosa y cálida ensenada, la misma que desfloró un verano. Aquí estaba, lidiando con los restos de virginidad que me ayudó a liberar a los dieci- siete años en la hermosa bahía de Cárdenas al final de nuestras vacaciones escolares. Enzo rompía mi celibato, el de esta otra edad en cautiverio, y con las aguas que manaban de los dos nos encendimos entre temblores y ahogos, en un sollozo final nos rendimos incrédulos. ¿Cuántos años pasaron desde entonces? ¿Quizás fue ayer cuando nos despedimos y todo esto del exilio es una invención que se rompe al contacto con la piel? Todo este tiempo viví entretenida en la otra política, la política del cuerpo, enfrascada en el arte de ofren- darlo como único espacio de libertad. Seguía gozan- do de Enzo, para mí él era perfecto, pero urgían las playas en su cuerpo, entonces lo entendí, todo no se puede tener en nuestras condiciones, las playas po- dían esperar y nuestros cuerpos sentirían para siem- pre su vaivén en el gusto como recordatorio del origen, ese ritmo interior que nos acompaña y mece desde la infancia. La costumbre de tumbarnos a flotar aboya- dos sobre las olas nos perseguirá para siempre. Al des- pertar sentimos arena en la cama, pero la arena estaba sólo en nuestras impresiones, porque las playas que- daron allá, lejanas como Cuba.

La vida con Enzo no era la vida con Enzo, era una vida comunitaria y colectiva, las playas estarían lejos, pero el *cubaneo* era una presencia colindante, constante. Se hablaba mal de todo y de todos, los maridos eran prestados hasta el próximo amigo que se iría con la ex del anterior. Se hablaba de asuntos académicos en el mismo tono en que se charla sobre una receta de picadillo a la habanera. No se compraban muebles, ni cuadros, nada de eternidad había en aquellas casas porque, supuestamente, todos volverían en un período de diez años (máximo) a Cuba. El fin del eterno gobierno, para ellos, estaba cerca, se vivían sus penúltimos días.

El apoyo moral nunca faltaba, eran generosos y amables, cocinaban juntos, se acompañaban al médico, y por eso se mudaron cerca unos de otros; se llamaban a toda hora y planeaban las vacaciones a un mismo tiempo intentando no dejar a nadie solo en aquella ciudad soberbia y gris. Las casas mantenían la televisión encendida con Cubavisión Internacional, para avisarse al momento si pasaba algo. Lo difícil era hacerles entender que primero se enterarían por CNN México que por la televisión cubana. ¿Cómo es posible olvidar asuntos esenciales que caracterizan al cerrado sistema cubano en el que crecimos y que nadie ha logrado cambiar? Cambiarlo significaría tumbarlo todo, y esa noticia no la dará la televisión cubana, no, señor.

Impartían clases en universidades, volvían bajo la lluvia corriendo a su refugio, apartamentos con olor a cigarro habanero, entregaban artículos en los periódicos locales hablando del monotema Cuba, regresaban cansados en las noches cantando una canción de la Trova Santiaguera o un inmortal tema de Frank Domínguez, y acudían a discusiones públicas en mesas que opinaban sobre arte, historia y sociología del Caribe sin dejar a Cuba sobre la alfombra. Yo los veía ir y venir desde mi ventana, Enzo tenía un hermoso *penthouse* mirador en el centro de su gueto. Ir y venir lejos de una Cuba vedada por el exilio, esa que los perseguía a todas partes.

Un domingo Enzo me llevó al mercadillo, un pasadizo discreto en la Zona Rosa. Allí compré algunos libros, una cafetera de plata y una cartera de los años veinte que parecía la perfecta pieza usada por Anaïs Nin en sus años adolescentes en Nueva York. De repente vimos una enorme foto de Fidel, de aquellas de cuando el Comandante Guerrillero hablaba al pueblo en las alocuciones de cinco y siete horas seguidas. Compramos el cuadro y lo llevamos a la comida dominical. Mi intención era poner la foto en la pared ya que nuestros amigos no lograban prescindir de su presencia. Ahí empezaron los desacuerdos. No supieron leer la broma, lo único que les había quitado el exilio era la capacidad de reírse de la desgracia. Reírse de ello significaba una afrenta al dolor.

Enzo se sintió abandonado por sus amigos, que ya no deseaban compartir conmigo. Yo lo había cambiado. Él no quería seguir en su empeño político y prefería dar clases y aceptar contratos extras como editor. Teníamos el plan de mudarnos a una playa para nadar juntos y volver así a las aguas del pasado. Sus amigos estaban descontentos y entonces empezaron a usar tácticas del totalitarismo: sembrar la sospecha, dividir con pistas falsas, vencer con ayuda del rumor. No hay nada más parecido a un comunista que un decepcionado del comunismo. ¿Quiénes eran ellos y cómo llegaron hasta aquí? Si releemos sus verdaderas biografías vemos lo entrenados que estaban. El exilio intelectual en ciudades peligrosas, sin salida al mar, te puede asfixiar. No es ése el mismo exilio de París o Barcelona, en el que puedes andar libremente, éste es un exilio sombrío, sembrado de riesgos y muertes. ¿Cuántos cubanos célebres murieron aquí? La lista es enorme.

Tenía que aguantar por Enzo, pero no estaba segura de que Enzo aguantara conmigo entre tantas opiniones encontradas, de cualquier manera ellos habían sido su familia, ellos cuidaron sus fiebres, lo trajeron a casa en las madrugadas de nostálgicas borracheras, lo acompañaron cuando supo la horrible noticia del suicidio de su padre; ellos brindaron cuando se hizo doctor en Historia, y no lo dejaron nunca un domingo a las siete de la noche, cuando todo parece perder sentido. Y yo, ¿dónde estaba yo? Yo soy sólo una muerta renaciendo de las cenizas, el pasado que viene para desprenderlo de su presente. Como por arte de magia aparecieron sus ex, aparecieron espantosos cuentos sobre mí, verdades diluidas en mentiras o suposiciones lanzadas a ver qué efecto tendrían en Enzo. Mientras ellos murmuraban, yo seguía trabajando en mi libro *Aprendiz de disidente,* una colección de ensayos cortos escritos, muy a mi manera, sobre la Cuba que transito cada día. Yo pensaba que todo eso aclararía mi actitud con los amigos-vecinos de mi novio. Escribir era lo único posible aquí, pues contra el trabajo no hay quien pueda.

El calor en el Distrito Federal resulta insoportable, siento una rara asfixia en la altura, y el calor aumenta esa desesperación que te mantiene cautivo en un ardor indescriptible; aquí prefiero el invierno crudo, el verano no le queda nada bien a esta ciudad. Salíamos al supermercado por provisiones y no podía dejar de pensar en Cuba, me estaba contagiando de la enfermedad de Cuba, esa de aterrizar aquella realidad en ésta. En el supermercado estaba todo lo que nunca había tenido allá, todo lo que nos hacía falta y todo lo que no hace falta pero se vende. Elegía trajes de baño para adelantar nuestra mudanza cerca del mar, recopilaba cuadernos que no lograría llenar nunca y compraba agua de coco en latas para sentir el sabor de todos mis veranos en la garganta. Así pasé el calor en el DF, y tres meses más tarde, con las lluvias, había terminado mi libro. Los ensayos narraban las fórmulas para pasar de ser una escritora que no deseaba ser disidente hacia el plano de la disidencia, todo esto sin querer, y mostraban los aspectos sociológicos que te impulsan a serlo. Un simple autor se convierte en animal político, ésa es la tesis de mi estudio. El proceso de una intelectual ingenua con traje de culpable. La escalada dentro de un equívoco social que hablaba de un país desquiciado buscando los culpables del naufragio. Creo que, de alguna manera, eso empezaba a ser una guía para ser leída, entendida en el resto del mundo.

Estaba contenta con el resultado, creo que Enzo se había entusiasmado con mi nuevo libro, y yo estaba lista para leerles fragmentos a mis vecinos cubanos.

Algo no estaba claro para mí en México, en mi relación con los mexicanos, y es que nunca sabía lo que estaban pensando, lo que deseaban realmente de nosotros. Cuando llegaba a un restaurante y miraba alrededor, veía la gran distancia que existía entre aquellas personas y yo. Me sentía verdaderamente lejos de todo lo que había sido mi vida anterior, y me aferraba a Enzo tratando de entender cómo aguantó tantos años en una cultura tan diferente a la nuestra. ¿Los mexicanos decían lo que pensaban sobre nosotros? ¿Les agradaba que estuviéramos ocupando e invadiendo el espacio de un mexicano? No lo creo. ¿Cómo sería si los cubanos tuvieran que recibir a miles de mexicanos en la isla? Sin embargo, cuando llegaban los amigos de Enzo, percibía una proximidad sanadora, y aunque sentían cierto desprecio por esta díscola que venía a separarlos, estaba a salvo en sus gestos, en su acento, en el semblante, y hasta en su intolerancia, pues todo eso nos vincula y nos persigue, nuestros defectos son parte de la idiosincrasia con la que cargamos a todas partes.

Por fin llegó el día, Enzo les pidió a sus amigos, como regalo de cumpleaños, reunirnos para escuchar fragmentos del libro. Nos sentamos juntos, en círculo, después de comer, en la terraza mirador en la que se tenía todo el control del barrio. Poco a poco expliqué la base de mi trabajo de campo: narrarlo en primera persona, definiendo el contexto y exponiéndome también dentro del experimento con mi carácter y mis malas costumbres, mi ignorancia política y mis miedos. Eso era parte del ensayo, quedar expuesta.

Mientras deletreaba las palabras me vi proyectada en una vívida gama que viaja de la niñita socialista a la mujer que ellos necesitaban convertir en espía para sentirse importantes desde la diáspora.

Los amigos de Enzo me registraban con sus ojos, no perdían un solo detalle de la lectura, les picó la curiosidad, así que pude desmenuzar la estructura hasta leerles lo más conveniente de las tres partes que conformaban el volumen. A las doce de la noche se sirvieron los tragos y de literatura no se habló más.

La idea era polemizar sobre la voz que trazaba el ensayo. Un ser que no tiene ningún interés en ser valiente pero que se ve forzado a enfrentarse con sus miedos al salir en defensa propia, atravesando la realidad interna de Cuba. Todo eso les pareció patético y despreciable. Los amigos de Enzo querían un nuevo héroe para Cuba en mi ensayo, o, si de pedir se trata, en la realidad. ¿No era aquello acaso un estudio hecho desde adentro? Pues ellos querían un panfleto que les esperanzara, algo que dijera: es posible ser valiente y triunfar con limpieza, sin dobleces. Es posible que exista un caldo de cultivo para nuevos líderes en Cuba. Debería ser posible hasta en los delirios de una autora como yo. Querían un final épico, estilo soviético, pues ellos venían del referente soviético aunque lo rechazaran, lo negaran y lo hicieran añicos en sus gestos diarios; su formación era ésa: soviética. ¿La Habana de ellos era mi Habana real? Éste es un asunto muy agudo y delicado. La idea de construir una heroína que no quiere serlo dentro de Cuba es un ensayo tan actual como complejo. Un poco de ficción dentro del ensayo ayuda a no hacer denso el relato. Estamos en la prehistoria de los géneros, y fusionarlos me causa mucho placer.

Mi trabajo había concluido, y ahora, a punto de ser publicado, al ver sus caras, al sentir su reacción, no tengo dudas, puse el dedo en la llaga, y eso es lo que quería lograr.

A los amigos de Enzo no les gustó nada; por el contrario, los movilizó para mal. Toda acción sincera provoca consecuencias, por eso pasé varios días respondiendo un extenso interrogatorio de mi novio. Amanecíamos hablando sobre lo perdido, la depresión nos ganó la pelea; era evidente, ya no deseaba mudarse conmigo, abortó su deseo de ir a las playas y desconfiaba de todo lo que yo hacía. Espiaba mis conversaciones telefónicas, me seguía a todos lados, releía mis textos y hasta abría los correos electrónicos que enviaba o recibía.

Una tarde salí a comprarme ropa de invierno, ya el frío había llegado a la ciudad y sólo tenía ropa de verano, por llamarles ropa a mis andrajos de lino y algodón. Bajé de un taxi de sitio, de los seguros, y cuando trataba de atravesar la calle para entrar en el Palacio de Hierro, me agarraron dos hombres y, sin tiempo para nada, me tiraron como un saco de papas en el interior de una camioneta negra. Pasé horas y horas dando vueltas con los delincuentes por la ciudad. Me bajaban en un cajero, en otro cajero, en otro, así fueron vaciando las tarjetas mientras, en cada bajada a las avenidas, amenazaban con matarme si movía un músculo para escapar. Insistían en preguntar códigos y códigos que yo no sabía, asuntos bancarios que una cubana como yo ignora, todas mis tarjetas son españolas y no uso chequeras. No tengo más que un solo código y las ganas de comprar, que a esas alturas habían desaparecido por completo. En la madrugada me guiaron a un sitio horrible, el vertedero de perros, un sitio para desguazarlos y cremarlos. La montaña de cenizas y el humo me hicieron flaquear, el miedo a ser quemada junto a las montañas de cuero, huesos y dientes me debilitó. Cuando me incorporé supe que me había desmayado, y sólo un culatazo de pistola y una patada por la espalda me despertó tras el golpe. Había sido abandonada en una acera, y allí quedé tendida hasta que una persona se acercó preguntando un teléfono o la dirección de mi casa. Estaba sangrando, y sin embargo sentía como si me lavara la cabeza y el champú corriera por mi hombro. De alguna manera el señor localizó a Enzo y al amanecer regresamos al apartamento. Las dos vecinas cubanas, asustadas, no dejaban de interrogarme. Me preguntaban todo el tiempo si no había sido la embajada cubana quien me había secuestrado. Les dije que no y les expliqué que eran mexicanos, sólo deseaban dinero. Enzo se dejaba llevar por la sospecha y cuando estuve sola me reveló que a ninguno de ellos les había pasado nada en esa ciudad durante casi veinte años.

Después de lo que yo había pasado me parecía absurdo hablar de política exterior cubana, de la Seguridad del Estado, de todo aquel absurdo con el que ellos necesitaban relacionar mi secuestro. Aquella pesadilla alimentaba el delirio de Enzo y mantenía activa la obsesión de sus amigos.

¿Por qué piensan que el gobierno tiene que ver con esto?, le pregunté a Enzo bajo un fuerte dolor de cabeza que no me dejaba pensar ni cerrar los ojos. Porque la descripción de la espía en tu libro es impresionante, es tal cual, y nadie hace un diario de lo que no ha vivido.

¿A qué viene todo esto? ¿No les parece demasiado rebuscado? ¡Cuánto delirio, por Dios!, dije intentando dormir sin conseguirlo.

Llamé a Barcelona, hablé con mi agente y con mi editora, estaban muy contentas con las primeras críticas de *Aprendiz de disidente*, les conté que volvería a La Habana. Estaba claro que Enzo no confiaba en mí, su neurosis lo tenía ciego, y preferí pensar que si me escapaba, me extrañaría e intentaría rescatarme violentando su miedo de volver a casa, a nuestra primera playa. Puse en orden las cosas con mi editorial y quedamos en no asistir a ninguno de los lanzamientos en España pero atender a la prensa por teléfono desde La Habana, el efecto era mejor en el caso de este libro. Recogí mis pocas pertenencias y me despedí de los amigos, quienes durante la comida final se comportaron sospechosamente amables (la sospecha empezaba a ser ya de parte y parte). Cristina, la más veterana de todos, me pidió de favor entregarle a su hermana mayor una carta que nadie debería leer, algo sobre la deserción de un alto oficial cubano. Me quedé pasmada. ¿Por qué elegirme para llevar ese documento si ellos no confiaban en mí?

Sería algo muy urgente, o al parecer no era tan grande la sospecha como para no usarme de correo, tal vez sólo fue un miedo pasajero y tonto, pero ese miedo ya se lo habían inoculado a Enzo, el marinero que perdió la gracia del mar. Ha ido cediendo hasta perderse en los demás. ¿Dónde está su carácter indomable? ¿Dónde quedó la vehemencia con que sostenía sus ideas? Ahora que por fin ya estaba en «tierras de libertad» lo sentía más preso que antes.

La Cuba que ellos quieren hay que construirla, pero el Distrito Federal queda demasiado lejos para poder hacerlo entre tragos sofisticados, bretes y rencores pasados.

Allí quedaron todos, tendidos sobre la madrugada, vencidos en el blanco sofá de la sala, borrachos, envejecidos, distantes, fríos y tristes. Valientes héroes aquellos que nos salvarán del desasosiego socialista a larga distancia. Yo agarré mis cosas y pedí un taxi. No quería que nadie me despidiera, y al amanecer, justo antes de cerrar la puerta, decidí no despertar a Enzo, simplemente me fui.

En el aeropuerto todo transcurrió con normalidad, el avión salió a su hora con la cabina cargada de paquetes, los cubanos deambulaban nerviosos por los pasillos, hablando alto, contando chistes, con miedo a lo que les cobrarían por todo lo que llevaban consigo. En Cuba no hay casi nada, por eso importamos casi todo. Llevaba mi maleta y un pequeño maletín de mano, nada más. Quería evitar problemas con las autoridades, pasar inadvertida y salir corriendo a mi casa.

Un poco antes de bajarme recordé que tenía la carta conmigo, pensé en ubicarla en un lugar en el que, en caso de registro, no la encontraran. Así fue, me paré para ir al baño y cuando estaba a punto de esconderla en mi ropa interior, decidí abrirla. ¿Por qué tengo que arriesgarme a entrar a Cuba ese tipo de información sin conocer verdaderamente lo que dice? Estaba medio abierta, le metí los dedos y despegué fácilmente el sobre. Me senté sobre la tapa del inodoro y leí el contenido del texto.

Pseudoescritora:
Sabíamos perfectamente que abrirías esta carta. Nunca confiamos en ti y para nosotros se hizo aún más evidente desde que nos leíste fragmentos de tu libro. A eso viniste, a indagar en nuestras ideas, en nuestra Cuba íntima, la nueva nación que queremos. Con tus aires de poeta crees que puedes engañarnos, pero sabemos que no eres más que una agente del gobierno cubano, una mujer que finge ser quien realmente no es para aprovecharse de nosotros; y eso luces en tu libro, esa capacidad de husmear en las vidas ajenas con aparente ingenuidad. Nuestras ideas no te quedaron claras porque fuimos muy cuidadosos contigo desde el primer momento.
Por favor, no regreses. Ni Enzo ni nosotros queremos tener ningún contacto contigo. Si insistes, los rumo-

res que hay sobre ti se volverán noticia, y eso no le con-
viene ni a ti ni a tu gobierno.
Vete a husmear a otra parte, traidora.

Y debajo estaban las firmas de todos, comenzando por la de Enzo.

Bajé del avión abandonando la carta en el chorro ruidoso de agua del inodoro, pero no recuerdo en qué momento toqué suelo cubano y si llevaba todo conmigo, la conmoción era muy fuerte. Se me empastaban las preguntas con las respuestas, el cuerpo de Enzo desnudo, las canciones, los momentos de felicidad y esta angustia a causa de un malentendido que no llegará a su fin hasta que los cubanos podamos vivir unidos sin pensar que el otro nos perjudica. Me sentía peor que el día del secuestro. Avancé por inmigración, me acuñaron rápidamente el pasaporte y un amable oficial me dio la bienvenida, sentí paz al abandonar por fin aquel triste absurdo. Ya estaba en mi casa, dije buscando un poco de aire entre la luz fría de la enorme nave y la estera que escupía lentamente las maletas. Los perros que rastrean la droga pasaban junto a los pasajeros y yo no trataba de localizar mi maleta, estaba mal, a punto de desmayarme en el suelo pringoso del aeropuerto. Las enfermeras me hicieron un cerco, el de siempre, para obligarme a firmar una declaratoria de salud con la dirección de mi casa. Otro modo de control, ahora físico. Al fin vi caer mi maleta, y cuando la fui a tomar y casi la tocaba, un compañero de guayabera me la quitó y dijo en voz baja mirándome a los ojos: Vamos, sígame tranquilita. Caminé lentamente detrás del hombre, ya no sabía qué era peor, si dejar atrás a los cubanos de México o enfrentarme al compañero de guayabera. Estaba perdiendo la perspectiva, todo era irreal, malévolo.

Me dejaron sentada en un salón pequeño, estuve allí como media hora sin que nadie entrara. Al fin una señora vino por mí. ¿Qué pasa? ¿Por qué me tienen detenida? No me respondían. ¿Por qué no me dejan irme a casa?, pregunté a dos nuevos oficiales que me miraban fijamente. Luego llegó un señor vestido de verde con un libro en la mano. Yo no reconocí el libro hasta que me lo pusieron delante. Así que aprendiz de disidente, ¿verdad?, dijo dulcemente irónico el compañero de verde ¿Aprendiz? Le pedí mi libro, me lo entregó, por primera vez lo tuve en mis manos. La portada era fantástica, una rara alegría me colmó de fuerzas para poder preguntar nuevamente qué hacía allí. ¿Este libro de ensayos refleja lo que usted vive en realidad?, dijo el compañero de guayabera acercándose a mi silla. Ésta es una reflexión basada en ciertas realidades, aclaré, primero que nada soy poeta, comenté justificándome, nerviosa por la situación y contenta de tener, por fin, mi obra impresa en las manos. ¿La van a vender en Cuba?, pregunté. Un espeso silencio inundó el lugar. ¿Vender en Cuba?, dijo el señor riendo a carcajadas, buscando la aprobación del resto. Los interrumpí para argumentar mi pregunta. Soy una escritora cubana y toda escritora desea ver... Tú lo que has demostrado con esto es tener demasiada información y ser una espía, y como tienes la madera, vas a colaborar en todo con nosotros. ¿Verdad que sí, compañera?, dijo el oficial mientras rasgaba hoja a hoja, desgarrando, destruyendo las páginas de *Aprendiz de disidente,* mi primer libro de ensayos sobre Cuba.

III

Soy un ejemplar en exhibición
Vivo en un zoológico humano donde nos medican
[y vigilan
La realidad es museable, marcial, desparpajada
Y yo soy sólo una espía en la jungla del arte.

Atravieso el enorme jardín. Siento en mis tobillos la humedad de la tierra recién removida. Me detengo para sentir cómo ese frío maravilloso recorre mi cuerpo. El vestido negro parece estallar al contacto con la noche. La luna llena amenaza desde el infinito y un escalofrío desata mis ganas de sentir algo nuevo. Lo que sea que pase ahora será bienvenido.

Dos cocuyos encienden mi pelo, coronan mi cabeza con breves rodeos de fluorescencia. Lo veo al mirarme en el reflejo de los cristales de la enorme casa. Todo va a salir bien, me digo. Soy mi propia enfermera, mi psicóloga, mi curandera. Suelo calmarme, suelo agitarme, debo cuidarme sola.

Cuando estoy en Cuba el protagonismo lo tiene el paisaje, el olor a mangos demasiado maduros, la furia del mar insistiendo en forzar los límites del muro, el deseo frenético de los hombres bebiendo ron para calmarse en las esquinas oscuras. Aquí la realidad es demasiado fuerte para sentirse protagonista... Yo desaparezco... Mi única misión es espiar la realidad para narrarla, tal vez por eso vivo oficialmente descartada. En cambio hoy, por primera vez, me invitan a «algo». Debe ser molesto convivir con un sujeto literario que lo narra todo, y al que, además, le pagan o le premian por eso. No hay persona o país, no hay cuerpo o sociedad que conserve su intimidad conviviendo conmigo. Leerse, leerme, desvestirse en una versión crítica del argumento debe resultar insoportable. Subo las breves escaleras de mármol, llamo a la puerta y un camarero uniformado me conduce por el amplio recibidor.

Márgara, mi empleada, ha vuelto a casa. ¿Podría llevar un uniforme? No lo creo. Estos años de ortopedia revolucionaria me lo impiden. Soy crítica pero no autoritaria, aquí nos han desarmado y no sabemos mandar. Estoy completamente adoctrinada, las clases sociales son un verdadero tabú para mí. En fin, Márgara ha regresado a casa. Me ha pedido volver y yo he aceptado, ya puedo pagarle, y su compañía me devuelve los años en que mi madre dejaba de hablar sola para dar órdenes a alguien que, por lo demás, no contestaba nunca. Márgara ha sido y es una sombra. Hoy tuvimos el primer día juntas, solas, sin la mediación de mis padres. Tomar decisiones no ha sido un problema, ella hace todo por iniciativa propia. Dejó escritos la hora, el lugar y el número de teléfono en un papel sobre la mesa, pero nunca logré descifrar el nombre de quien invitaba.

Esta casa puede estar en La Habana de los años cuarenta, cincuenta, sesenta, setenta, ochenta; tiene, como casi todo este país, un misterio atemporal, una pátina ecléctica que expresa su carácter neurótico. Ha sido restaurada, sí, pero su velo se conserva intacto.

Un europeo canoso, alto, escoltado por un hermoso mulato de ojos amarillos, viene a darme la bienvenida, yo les tiendo la mano y agradezco el gesto de invitarme. Se excusan y me dejan sola en medio del gran salón. Es curioso, aquí todos me resultan conocidos pero, a la vez, ellos parecen desconocerme. Descubro ciertas caras que alguna vez me crucé en La Cinemateca, los teatros, las inauguraciones, los restaurantes a los que acudía con mis padres. Los invitados de esta noche me saludan tímidos, pero con cierto agrado, me saludan al pasar o me abrazan, pero, la verdad, no puedo pronunciar un solo nombre, no logro reconocer una cara que me anime a sentarme y charlar, no encuentro a nadie cercano o, al menos, confiable.

Confiable: tampoco yo personifico a alguien confiable, y aunque no me he perdido ni un solo capítulo de esta trama, quedarse aquí, ver la serie completa pudiendo partir, escapar de ella, resulta sospechoso.

¿Por qué diablos no te fuiste chiquilla?, piensan mientras te interrogan sobre otros asuntos.

La mitad de los oficiales que nos atienden darían lo que no tienen por pisar las ciudades que yo piso. ¿Cuántos de ellos resistirían la tentación de desertar si tuviesen las oportunidades de todos estos artistas que van y vienen? Cierro los ojos y me los imagino sin uniforme en Madrid. ¿Qué harían entonces? Se pasarían de bando, desertarían o simplemente se perderían en la muchedumbre para empezar de cero, y ¿olvidarían? ¿Podremos olvidar todo esto?

Recorro la sala, una suave corriente de alegría asalta mi cuerpo y lo recorre. En una esquina tres escritores muy conocidos conversan ensimismados, en voz baja, intentan ser discretos, sustituyen palabras por gestos, imitan la barba de Fidel, los grados y los ojos achinados de Raúl con las manos (como si no pudiese ser interpretado ese viejo lenguaje), se arriman y mascullan frases en un patético secretismo femenino, alborotan y comentan en plan «chismorreo», parece como si conspiraran. Ellos son los otrora parametrados, antes prohibidos, hoy obligatorios, premios nacionales de literatura, y mañana pasarán a la historia con su incoherencia, tal vez como traidores, pero de sus propias vidas. Demasiados años en la misma cuerda floja para poder sostenerse en equilibrio sin pánico.

Yo vivo y siempre he vivido en Cuba, pero esa fidelidad con divergencia, ese estar y sostenerse entre quejas y diferencias irreconciliables, es también... sospechosa. ¿Cómo estar aquí y no flaquear a las presiones o morir en el intento? Claro que a los ojos del exilio puedo ser sospechosa. Para entender esto hay que desgastarse viviéndolo, lo demás resultan aproximaciones basadas en referentes del pasado. Cuanto más te acercas menos lo entiendes, cuanto más te alejas más lo juzgas, cuanto más lo vives más lo sufres, cuanto más lo sientes menos puedes desprenderte del dolor. Empiezo a sentir apego por la tragedia. Estoy perdida.

Otra vez mis ojos recorren la sala. ¿Quién o quiénes serán los oficiales destinados a atendernos esta noche? ¿Conoceré a alguno? Tendría, al menos, alguien a quien saludar. ¿Los podré saludar? ¿Se harán los que no me conocen? ¿Por qué no puedo parar de pensar en esto?

Un suave murmullo, un liviano olor a Chanel con ron reserva me tira contra el sofá. Un camarero con guantes y uniforme blanco me pregunta amablemente qué deseo tomar.

¿Deseo? ¿Deseo? ¿Deseo? ¿Qué es el deseo para mí? Otra vez la posibilidad de elegir me paraliza.

–¿Qué tienen?

–Todo, o casi todo, que no es lo mismo pero es igual.

¿Será ésta una fiesta de esas donde nadie baila, donde se come mucho y se habla más, donde te enteras de lo que no quieres ni debes? No puedo asegurarlo.

¿Quién de todas estas personas me puso en la lista de invitados? ¿El anfitrión?

Encuentro a dos compañeras del instituto. Me saludan un poco atemorizadas. Yo quiero abrazarlas pero no, no da para tanto, les doy las buenas noches, beso a cada una en la mejilla, se alejan.

¿Sabrán a qué me dedico? No hay un solo libro en toda la casa. No se ve un librero por aquí, sólo un revistero con ediciones de *Vogue* y *Architectural Digest*. ¿A quién pertenecería o a quién pertenece aún esta casa? ¿Estará alquilada? Parece una embajada. Esos cuadros con los marcos barnizados, ¿serán realmente de Lam? Uf, esto me huele mal.

Las fiestas de los científicos eran aún más aburridas, las envidias y las viejas rencillas aparecían con el segundo trago de ron. Las pequeñas, pocas prebendas que tienen en este país los científicos les van socavando por dentro: tu alma por un televisor chino, tu alma por un viaje a Europa, tu alma por una casa prestada en el Polo Científico o tu alma por un Lada 2107 caja quinta. ¡Uf! Me había olvidado de los científicos. Mi padre decía que pocos se detenían a pensar qué era ético y qué no. Lo importante eran los resultados. Una vez que probaban el alcohol todo se desembuchaba y empezaban a desfilar los demonios. Nadie daba un piñazo a nadie. Los científicos y sus fiestas de dominó, ron añejo y chicharrones de puerco, las mujeres con zapatos blancos de tacón y los hombres uniformados con sus Rolex. ¡Ay!, los científicos.

—Confía, confía, verás que aquí sí, que aquí sí se puede vivir. Confía, míranos a nosotros, estamos vivos y no nos ha faltado nada... esencial... en estos años. Nada, ¿verdad? —decía el ex ministro con dos vasos de whisky en las manos, mientras que la palabra «nada» me la clavaba en los ojos, desde la hondura de los suyos, como lanzando un dardo siux–. Nada, ¿verdad, Cleo?

La confianza es también una hipótesis sobre la futura conducta del prójimo. Un compromiso arbitrario, irresponsable. Creemos conocer qué es «lo confiable» desde nuestro punto de vista y, en realidad, todo esto depende de la opinión y la acción del otro.

Bajé la mirada y recibí a cambio una copa de champán francés. ¿Qué hacía yo en una fiesta donde asiste un ex ministro de Cultura y sirven Moët rosado? Apareció de la nada. ¿Me conoce? ¿Quién o qué nos trajo aquí a ambos? Lo miré fijo buscando saludarlo, pero él cambió la mirada. Hay algo que describe a todos los dirigentes y oficialistas de este país: su forma de vestir, su empeño en ser o lucir humildes, en transcurrir de espaldas al mercado, la necesidad, la opción única de ponerse lo que hay, porque tampoco tienen medios para comprar un vestuario adecuado, pero, de paso, en recalcar que menosprecian el valor de la moda, que disfrutan estar fuera de ella. Entran a las embajadas y recepciones orgullosos del safari, de la guayabera, de la camisa de cuadros, del clásico jean cañero. Eso no les queda bien pero les trae calma, creen pasar inadvertidos, excepto en una fiesta como ésta. Siempre he pensado que en ese *no estilo* germina una condición inconfundible: el desprecio a lo bello, al valor de lo contemporáneo y sus estremecedores y simbólicos cambios estéticos e históricos. Ese desprecio, esa glorificada y perenne postura verde olivo colectiva patenta lo «macho» y lo uniforme, personifica el «to's tenemos» que nos diluye en la masa fortaleciendo nuestro ideal de vida guerrillera, aplastando así cualquier atisbo de individualidad, delicadeza, toque personal o guiño de independencia visual.

El poder no necesita llevar nada caro, lo verdaderamente caro es poseer un país y despojarlo de cualquier estilo, también de la posibilidad de elegir su sentimiento estético. Durante más de cinco décadas la escasez nos emborronó el cuerpo y aprendimos a vestir con casi nada, con lo que pudimos heredar, reciclar, recuperar del naufragio.

La moda aquí en estos años ha sido eso, vivir de espaldas a la moda. Es políticamente correcto ser humilde. Se desaconseja llevar algo caro, bien diseñado, estrafalario, fuera de lo común, único, distanciado de lo masivo, que recuerde que existe otro modo de ir por la vida, se desaconseja ser único.

Miro mi ropa, es hermosa pero común, atolondradamente combinada, demasiado relajada, diría yo, diseñada por ¿?, no sé, no aprendí a vestirme, mis padres no estaban interesados en la indumentaria. Todo esto ha derivado en que no encuentro un estilo, no tengo personalidad estética, no soy ni roquera, ni sofisticada, ni romántica... Me doy cuenta de que lo que llevo es un disfraz, algo simple que me confunda en la multitud. Mi ropa me cuida, me guarda, es simplemente mi segunda piel. En fin, que en eso de la moda a mí también me atraparon.

Tengo mucha avidez de compartir con alguien, sobre todo con alguien a quien no tenga que explicarle qué ha pasado conmigo en estos últimos dos años.

De nada sirve ser leída, premiada, traducida a varias lenguas si no puedes ser reconocida en tu país, encontrar tus lectores originales, compartir tu obra con los tuyos.

Soy una mujer que escribe y habla sola y así viaja por el mundo, así es leída en ese otro mundo que aquí ignoramos que existe. Sólo quiero ser escuchada. No como autor, no como intelectual. Quiero entablar un diálogo con alguien que no se atemorice cuando me le acerque. ¿Hay alguien en quien pueda confiar?

—Pasemos a la piscina, por favor —dijo atentamente el camarero alcanzándome otro champán en una fina, elegante y helada copa de cristal de bacará. Un suave murmullo atravesó la sala y en perfecto francés escuché: *Bal masqué!*

Abrieron el enorme ventanal de espejos y un golpe de calor y luz inundó la sala. El despliegue de magia estalló con la voz de Isaac Delgado acompañado por su grupo. No podía creerlo. La piscina ofrecía un reflejo náutico que daba movimiento ondulatorio al patio, sus luces artificiales parecían teñir los árboles de tonos violetas, azules, magentas. Los mangos se matizaron de salpicaduras rosáceas muy brillantes y los aguacates parecían berenjenas iluminadas.

Una legión de camareros comenzó a repartir máscaras venecianas, ese coqueteo me pareció divertido y elegí una de mano, con la que —en el caso de que llegara algún ser conocido— pudiese reconocerme.

¿Pero quién soy para ser reconocida? Eso me hacen creer en la construcción de este silencio artificial. Ojos de gato, tul rojo y jade, un poco de terciopelo negro y cierta perla caída como una lágrima negra sobre mi pómulo derecho. Yo quiero ser descubierta y esta máscara no me lo impedirá, no, señor.

Los pies se te van solos entre la música, el resbaloso musgo contiguo a la piscina y el suave pasto japonés: *Tengo un equilibrio, con dos, con dos mujeres*, repite Isaac en un popurrí de sus grandes éxitos. Él ha regresado a vivir en la isla y parece como si nunca se hubiese ausentado... ¡Qué sabor! ¡Qué mareo! La gente ha perdido el hábito de bailar en pareja, sin embargo esta especie de rueda de casino que se ha formado en el patio te permite ir probando a cada uno de los bailadores, y eso me encanta. No he hablado con nadie pero ahora bailo con todos, así es Cuba, cuando se trata de mover el cuerpo, de tocarse o tocar, atrás quedan todas las sospechas, y es que el único espacio de libertad que hemos tenido los cubanos en estos años es ése, el cuerpo. No les veo las caras, no sé quiénes son, pero bien puedo adivinar la edad por el estilo de los pasillos, los ademanes de sus gestos al sujetarme, tirarme al vacío y recuperarme luego a punto del desarme. Floto de mano en mano, suelta y ligera, independiente y soberana, hasta que un bailador de la vieja guardia me atrapa firme y se queda con mi cintura, marcando, girando, haciéndome suya al compás de un dos por cuatro.

Un grupo de quince o veinte personas atravesó el jardín con las máscaras muy bien colocadas. El ex ministro los saludaba con afecto, mientras los camareros abrían paso conduciéndolos a la zona VIP habilitada a un costado de là orquesta, que en ese momento se detuvo para dejar hablar, con un raro acento, al enmascarado mayor, quien, ya no quedaban dudas, era el dueño de la hermosa casona de los años cuarenta situada en pleno corazón de El Vedado:

–Hola a todos, gracias por venir. –Un *feedback* chillón e incómodo interrumpió la voz del extranjero, que tenía un acento difícil de descifrar: ¿francés?, ¿belga? El discurso continuó tras algunos ajustes técnicos–. Sí. Hola a todos otra vez. Estamos inaugurando hoy nuestra casa en La Habana y queremos agradecer a las autoridades, que nos han ayudado a rescatar este palacio del siglo pasado. Abel, mi esposo cubano, y yo estamos seguros de que éste será un centro de reunión, cultura y goce para todos los amigos amantes del arte y de la buena mesa. Quiero decir que esta noche hemos invitado a todos nuestros colaboradores desde que fui embajador en la isla, así como a las personas que consideramos grandes figuras internacionales de la cultura cubana. A muchos no los conocemos, pero los iremos saludando a medida que pase la noche. Presentaciones, reencuentros, luego una cena, y claro que más y más música hasta medianoche. Es un verdadero placer tenerlos acá. Bienvenidos a su casa. ¡Salud! –dijo el ex embajador de ¿?, dejándole espacio a su esposo Abel, que habló poniendo su enorme boca frente al micrófono.

–¡Y a gozar, señores, que el mundo se va a acabar! Gracias a todos por venir... –El hermoso mulato miró un poco nervioso al ex embajador y, titubeante, soltó–: Ay, papi, no me hagas esto, tú sabes que a mí sí no me gustan los discursos, eso es para ustedes. Caballeros... nada, muchas gracias y... ¡cógelos, Isaac! –concluyó chasqueando los dedos, indicando a los músicos que era el momento de volver al ruedo.

La orquesta entró a tiempo para acompañar la tercera copa de champán.

–Lluvia Martines, encantada –me dice una mujer con acento mexicano, tratando de acomodarse su máscara con los espejuelos, haciendo equilibrios sobre el pasto con su carterita de seda negra y la frágil copa de champán. Yo le extiendo mi mano y ella se afinca en mí y me besa.

–¿La ayudo con su máscara?

–Sí, por favor.

Luego de colocarle el antifaz y de intentar presentarme, Lluvia me interrumpe diciendo que es editora y que sabe quién soy.

–Eres la poeta.

–Sí. Cleo. Un placer conocerla.

–Pensé que aquí no te editaban o no te tenían en cuenta.

–Pues así es –dije mirando a todas partes.

–¿Y qué haces en esta fiesta de ex ministro y escritores oficiales?

–Pues fíjese que no sé. Creo que ha sido un gran

malentendido de mi parte, y de parte de ellos al invitarme.

—Bueno, pues brindemos por ese malentendido. Gracias a eso nos conocimos. Vi tu cara en París, en las enormes banderolas a la entrada del Museé Rodin, en aquella exposición de poesía y arte contemporáneo. Linda foto y lindo verso. A ver si lo recuerdo. *No pueden expulsarme de la isla que soy yo misma.*

—Bueno, sí, qué memoria. El texto dice *No pueden expulsarme de la isla que soy.*

—Genial. Y fíjate que yo venía hoy pensando en ti, porque quiero... En estos días llega mi primo Gerónimo Martines...

—¿El actor...?

El ex ministro interrumpió la charla oportunamente.

—Lluvia, quería presentarte a dos grandes poetas de la generación...

—Ah, enseguida voy con usted, es que estaba tratando de explicarle a Cleo mi proyecto... Porque creo que Cleo, ex ministro, es la...

—Perdona, Cleo. Venga, Lluvia, venga, que le voy a presentar a dos troncos de poetas naturales, sin mercado, de los de antes, los de verdad, la dejarán muda.

—Muda —dije.

El ex ministro hablaba de mí como si no me tuviese delante. Lluvia fue literalmente arrastrada al otro extremo del patio. Mientras caminaban de la mano, una conga de bailadores les cortó el paso. De repente la música se detuvo y el propio Isaac Delgado anunció que llegaba el momento de cenar.

–Bueno, señores, llegó la hora de la verdad. Vamos a probar unos manjares y regresamos en una hora. –Los aplausos no se hicieron esperar. La horda de invitados atravesó el jardín hasta alcanzar las mesas. El anfitrión quería decir algo pero lo dejaron solo en el escenario y, aunque hizo sonar su copa de bacará, pocos advirtieron que él quería agregar unas palabras.

Ay, comer en Cuba. Creo que los cubanos ya disfrutan más comer que bailar. Traté de incorporarme al grupo de amigos de la universidad, pero no fue posible porque ellos no se veían muy contentos con mi presencia. Incluso reconocí a varios autores de mi generación que me saludaron amistosos, pero cuando intentaba ocupar sus mesas, cerraban el ruedo y se producía un silencio artificial, molesto.

He tenido una carrera brevísima, en realidad no debería significar un peligro. El verdadero peligro lo está fabricando la política. «Yo soy el grito y no el eco.»

Soy una apestada, parece como si mi presencia les causara contagio, como si les perjudicara el solo hecho de que permanezca de pie, respirando a su lado. Cuando me alejaba de los grupos escuchaba risitas y murmullos a mis espaldas. ¿Por qué? ¿Por qué?

Atravesé sola y en silencio aquel paraíso de árboles, caminé un rato hasta encontrar el traspatio, el huerto circular, el gimnasio, los baños, y me senté a respirar la profundidad de la noche al borde de otra graciosa piscina, una más pequeña, como destinada a los niños, de la que fuera la casa original. A esas horas parecía un estanque y allí dentro podían delirar caprichosos peces multicolores. Las ranas, los cocuyos, las lechuzas y la polifónica banda sonora de El Vedado se mezclaban en mi cabeza, el champán y el desaire colectivo producían un vahído grave, tirándome al fondo del estanque, paralizándome, y allí me encontré atado mi reflejo, que se repetía cimbreante. Me saqué los tacones apretados, me subí el traje de noche casi hasta el principio de los muslos y metí los pies en el agua parduzca para sentir entrar la noche en mi cuerpo.

Estuve un rato a solas conmigo, intentando entender por qué insisto en quedarme en un lugar donde no me quieren, en un país que ya no es mío, en una ciudad donde queda poco que se me parezca. ¿Todo el mundo tiene esta discusión con su patria? ¿Todo ciudadano llega al instante de preguntarse hasta cuándo debe permanecer bajo sus faldas? Aquí eso no es natural; por el contrario, es pura traición.

Nadie debería permanecer mucho tiempo en un sitio donde lo rechazan, pero yo navego en círculos, naufragando en el estanque de mi propia derrota social. Siento que estoy a punto de ahogarme con mis lágrimas, con mis propios versos, mareada de mi propia escritura bla bla bla, estrangulada en la vigilada bruma del eterno asfixiante verano. Una mano apareció en la oscuridad. La tomé sin preguntar y me elevé del agua resuelta. Lluvia estaba allí, mirándolo todo. Me secó las lágrimas con una servilleta de papel y, sin interesarse por mi drama, más bien evitando el tema, me explicó que las mesas ya tenían nombre y apellido, y que yo estaba en un sitio lejano al suyo.

—Bueno, Cleo, nos vemos en un rato, ¿verdad? Así te cuento mejor lo que me trajo a Cuba.

–Claro que sí. No te preocupes –dije componiendo mi semblante y mi atuendo, haciendo ademanes de incorporarme a la cena, pensando que las autoridades cubanas la convencerían tarde o temprano de que era inconveniente sumarme a un proyecto... Pero no, no me incorporé a la cena, doblé derechito hasta perderme en el mar de camareros, y cuando estaba a punto de alcanzar la puerta de la calle, una sombra me cortó el paso.

–Cleo, ¿estás perdida? Ven, te llevo a tu mesa. Te he sentado junto a las personas del exilio que nos están visitando. ¿Te parece bien? –dijo el anfitrión tomando mi mano, haciéndome girar con elegancia desde mi propio eje como a una bailarina clásica, y acompañándome para asegurarse de que no me escaparía, sentándome en mi puesto como quien castiga a una niña pequeña, condenándola a una larga cena en la mesa de los adultos.

–Hola a todos, les presento a una joven escritora cubana, al parecer muy buena, no he tenido la oportunidad de leerla aún. Se llama Cleo.

Del exilio, pensé detallando a todas aquellas personas enmascaradas y elegantes. ¿Cómo habría sido yo si mis padres hubiesen desertado y ahora viviera, por ejemplo, en Orlando? Eso es prácticamente imposible de saber. Además, ¿en mi infancia a qué padre se le permitió sacar a su hijo de este país? Nosotros, los hijos, hemos sido rehenes.

–Hola –dije, temerosa de que ellos tampoco me quisieran en la mesa, porque también para el exilio es sospechoso que una mujer como yo siga viviendo en

Cuba, a pesar del pesar. Estoy atrapada entre dos pisos, el elevador de mi vida se ha detenido en un entresuelo peligroso, en el limbo de no ser aceptada aquí, en la determinación de no dejar Cuba. Soy sospechosa porque no soy inteligible. ¿Qué debo hacer? ¿Forzar la puerta y saltar al vacío para ser leída, literalmente, allá y aquí? No lo sé.

¿Y ellos, por qué estarán regresando? ¿Por qué ahora y no antes?

La crisis es una realidad tangible, muchos retornan a restaurar sus antiguas realidades, remodelan sus casas, acomodan sus afectos, intentan rehabilitar su vida entre nosotros, que, a estas alturas, les resultamos fantasmas salidos del pasado.

Otros sólo vienen a despedirse de los que van muriendo —de lo que va muriendo—, rebasando esa corta e insostenible distancia: La Habana-Miami. Se escabullen en el puente invisible de agua que los trasladará tan lejos y tan cerca.

A pesar de cualquier cambio posible, vivir en *el enemigo* siempre será visto, desde aquí, como una declaración de guerra. Una vez que decides vivir allí, ya no te verán como alguien confiable; empiezas a ser ese blanco al que nos enseñaron a disparar. Sospecharán, sospecharán, sospecharán de ti, porque no eres un simple turista americano, no, eres un cubano desertor que se pasó a las filas del exilio.

Nosotros, la flecha, y ellos, parte de esa enorme diana trazada sobre nuestras cabezas, apuntando siempre al *punto rojo del colimador*.

Sobrevivimos al heroico recorrido del disparo,

aguantamos las crisis, los ciclones, los delirios políticos, las vejaciones y la distancia para recibirlos como merecen, pero en los sitios oficiales nada de eso puede verse así. Regresar/visitar tu patria/partir. Parecería una dramaturgia clara, común, pero para los militares que dirigen este país un emigrante sigue siendo un traidor.

Me senté justo cuando estas personas se retiraban sus máscaras para cenar la sopa fría de langostas salteadas con cebolla y curry. En ese mismo minuto descubrí que todas aquellas caras me eran familiares. Reconocí uno por uno a los artistas, escritores, dramaturgos, actores que me rodeaban. No lo podía creer, a muchos los vi de niña en el teatro o en los Noticieros ICAIC, a otros sólo los recordaba por la contraportada de un libro ¿prohibido?, ¿forrado?, y a las dos mujeres que tenía frente a mí las había disfrutado muchísimo en películas cubanas de los años sesenta.

No me atrevía a preguntar, todo aquello parecía un sueño... Pero no, sí que era real, y yo estaba allí escuchando sus bromas, sus ironías y hasta el asombro que les producía el regreso. Mi pecho quería estallar. Estoy a punto de creer que sí, que un cambio es posible, la pregunta estaba en el aire y me animé a hacerla: ¿todos regresan?, susurré tímidamente. Y entonces fluyó la noche, ésas fueron las palabras mágicas, las que condujeron a sonrisas, chistes y anécdotas, confesiones, abrazos, presentaciones, coincidencias. Dos de ellos hasta me habían leído y, por supuesto, yo los había «leído» a todos. Al despedirme de aquellas personas lo supe, fue entonces cuando comprendí mi verdadero drama, yo pertenecía más a ese mundo que al que me había tocado vivir en esta isla, y eso sí que era un problema, porque yo no me había ido pero tampoco estaba aquí.

IV

Alguien llega a tu casa, te ha conseguido un «tesoro», «pan caliente recién horneado»: la grabación de algunos amigos o conocidos desbarrando de ti con unos tragos de más en una fiesta cualquiera. En este caso se trata de mi única fiesta habanera en años, la de ayer.

Aún huelo a cigarro y ron de la noche y ya se derraman sus consecuencias.

Son las doce meridiano y no he tomado el primer café del día, no me he duchado, no me he lavado los dientes; estoy sentada en el inodoro reconstruyendo rostros, diálogos, situaciones. Aún el alma no ha vuelto a este cuerpo, todo me irrita; pero ya es hora, tocan a la puerta, debo alistarme y dar la cara al sol, insisten, invaden con las herramientas más férreas para ponerme de frente a la cruda, reveladora realidad.

Un hilo dorado iridiscente sale de mí como una flecha, el aroma a colonia y amoníaco penetra la cerámica blanca, el hilo mágico hace tierra y me conecta con la vida: agua sobre agua; despierto marcando el territorio personal, salto al día empapando, humedeciendo todo con mis cantos, el eco del baño, y las malas noticias... que no esperan.

Oh Dios / otra vez a arriar caballos / no son / más que tristes bestias...

Radio Reloj, 12 meridiano en La Habana, Cuba; seis de la tarde en Madrid, España; seis de la tarde en París, Francia; 9 de la mañana en Vancouver, Canadá; 11 de la mañana en Quito, Ecuador; 12 del día en La Paz, Bolivia; 11 y 30 del día en Caracas, Venezuela; 12 del día en Santiago de Chile, Chile; 5 de la tarde en Londres, Inglaterra; 11 de la noche en Hanói, Vietnam ... Trasmite Radio Reloj, desde La Habana, Cuba... 12... 1 minuto... Radio Reloj.

Llega el «seguroso de la familia», aquel mismo tipo carismático, simpático, y hasta casi imprescindible en la mesa familiar al que mi madre le ponía trampas para no ser ella quien cayera en su jamo. El mismo que informaba sobre los experimentos de mis padres y sus posibilidades de escape al extranjero cargando información clasificada. Hay un momento brevísimo en el que la ciencia cubana sabe cosas que desconoce el servicio secreto, por seguridad no se les informan ciertos pasos decisivos, son instantes delicados, ése, seguramente, es el minuto en el que Alberto, el «seguroso de la familia», establecía el «mejor» enlace entre mis padres y sus superiores.

¿Cuáles eran los estudios recientes autorizados? ¿Con animales o con humanos enfermos? ¿Es el cerebro en Cuba un punto de activa investigación? ¿Cuáles son los límites éticos? ¿Hay alguna persona que ha firmado conformidad investigativa por un familiar desahuciado? ¿Los cuerpos no identificados se usan como objeto de estudio? ¿Planean ir a algún congreso? ¿Verán a algún desertor o familiar durante ese viaje? ¿Recuerdan a aquel médico, también investigador desertor, el cardiólogo que hoy vive en Puerto Rico? Todo esto se ponía sobre la mesa con absoluta naturalidad, y entre rones y cervezas, tabacos de la bodega y cigarros Populares, se activaba la red de bromas para sacarle a mi madre mucho más que una carcajada.

«Es mejor malo conocido que bueno por conocer», decía mami resignada, con su cigarrillo en alto, haciendo círculos que se rompían al contacto de su finísima nariz y penetraban el grueso cristal de sus gafas setenteras.

Para él ella lanzaba adjetivos abstractos y alarmantes, frases en latín o sistemas de formulaciones bien cerradas, salidas de un vocabulario científico incomprensible, con rígidas maneras marcadas por su educación familiar y su formación médica. Mi madre nunca olvidó el juramento de Hipócrates, tal vez su forma de ser la salvó de la decadencia y la traición. Poseía un canon de sabiduría y ética que esta sociedad no alcanza a modificar del todo, pero que lo intenta violar una y otra vez. En eso pasó gran parte de su vida, vigilándose para no perder el eje.

Mi padre, en cambio, siempre permaneció en silencio. Algunas veces compartía su ron con el «seguroso de la familia», y cuando él venía solícito a investigar algo, trago en mano, mi padre señalaba a mi madre como si se tratara de un asunto correspondiente a «otro departamento». Su mayor arma siempre fue delegar.

En mi adolescencia todo aquello parecían cosas de adultos, problemas de mis padres, y un teatro tan pero tan lejano para mí... Pero yo estaba completamente equivocada, la representación de esa traición era sólo el primer paso a nuestra desintegración familiar, luego podíamos tomar palco para ver, de primera mano, nuestra vida en proceso de descomposición. Puede que todo lo que nos pasó en adelante, incluso el accidente, fuera parte de los «chivatazos» de Alberto.

Ahora he ocupado yo el lugar de mi madre, respiro profundo, a ella me encomiendo y le sigo la corriente. La mesa no está puesta pero los comensales siguen jugando sus peligrosos roles. No entiendo por qué me visita, seré yo un verdadero objeto de persecución, serán sus viejas manías o su vicio delator lo que le impulsa a investigarme. ¿Aún le hacen caso a este hombre en este país? ¿Tiene la capacidad de espiar a artistas y a científicos por igual? ¿Cuál es su especialidad? ¿Siguen activos los viejos métodos de la KGB? ¿Por qué yo? ¿Quién soy para él, para ellos?

Los métodos se han sofisticado, la tecnología ha llegado hasta aquí, y la diminuta memoria que trae el «seguroso de la familia» se conecta a mi computadora. Hago café mientras escucho, a todo volumen, la banda sonora de *La fiesta vigilada*.

Trato de imitar los ademanes de mi madre, repetir sus gestos como quien repasa un ballet, intento estar tranquila y columpiarme en las circunstancias... ¡Ah! Pero escuchar a ese batallón de amigos o conocidos y hasta desconocidos encontrar las palabras perfectas para destrozar, con sorna, lo que has logrado ser, es terrible.

Ellos ignoran lo difícil que ha sido y es estar viva y en mis cabales.

Bromas, bromas, ironías... Mentiras o modificaciones de la realidad.

Se acaba la grabación. Silencio profundo.

Parecería que tu mundo se termina en este instante. Tengo ganas de escapar de mi propio espacio, que ahora se me hace cerrado y asfixiante.

¿Qué hago?

Cuántas veces uno ha detallado los defectos de sus padres o amigos en voz alta, incluso hasta los defectos propios los ha confesado llorando en la cama de un amante, o en la cotidiana nocturnidad del cuarto de una amiga durante la madrugada rota de un sábado nefasto; pero esto me sobrepasa.

¿Qué quieren de mí? ¿Qué pretenden con estos juegos de dagas sociales? ¿Desmoralizar? ¿Desarmar? ¿Desconectarte del resto? ¿Aislarte más y más hasta enmudecerte? ¿Por qué llega este hombre con esta caja de voces a la puerta de mi casa? ¿Con qué fin quieren hacernos el favor de ponernos a pelear con los pocos afectos que nos sobreviven? ¿Cómo grabaron esto?

Puedes reconocer los acentos, la ironía está en el aire, el modo de insistir en tu delgadez o en tu histrionismo, tus miedos, tus puntos débiles, tus fracasos personales, pero sobre todo: tu pasado. ¿De dónde las sacó el «compañero Alberto»? ¿Es fortuito que llegara hasta aquí con su bomba de tiempo entre las manos? ¿Deberíamos agradecerla para saber realmente quién es quién? ¿Eres una mala persona? ¿Te portaste tan mal en la vida para generar esto? ¿No se trata de lastimar la sagrada intimidad de los otros? ¿No es esto un decálogo o un derecho violado en la divina, frágil condición vivencial del hombre?

Atravieso el pasillo y llego al estudio, miro la foto de mi madre... ¿Cuándo diablos te ha importado lo que dicen de ti?, me dice desde el portarretratos.

¿Debo darle las gracias? ¿Invitarlo a almorzar?

No, no agradeces a quienes te hacen ese tipo de favor. Le pides que salga inmediatamente de tu casa, lo despides de tu vida, lo empujas al vacío como lo que es, un traidor; pero ya es tarde, ya lo escuchaste todo.

¿Y tus otros amigos? ¿Y las otras fiestas? ¿Y las autoridades? ¿Y tú, contigo? ¿Dónde estás?

Miras tu sala, revisas el cuarto, caminas por la cocina, analizas la geografía de tu intimidad. Aquí también habrán aplicado la técnica. ¿Dónde pusieron sus micrófonos?

En los cuadros, en los adornos, en tu reloj, en el celular, en los equipos de música... ¿O realmente creías que no te espiaban?

Dicen que esto pasa en todos los países del mundo y que se trata de salvaguardar la seguridad nacional. Son asuntos de Estado, alta política de protección ciudadana.

Pero ¿y yo?, ¿quién soy? Una mujer menuda *escribecosas* que no puede lidiar con su propio destino, imagínense con la seguridad o integridad nacional.

Te graban las comunicaciones telefónicas y te archivan hasta ver que no eres un peligro público. Pasarán treinta años, cambiará tu voz, perderás tus pocos afectos y terminarán contigo. ¿Para qué? ¿Quién deberá estar seguro a cambio de tu inseguridad?

¿Dónde están los micrófonos para arrancarlos de raíz? ¿Dónde están?

No podemos saberlo. ¿Me lo puede acaso decir el compañero que graba las llamadas telefónicas? Descuelgo y le pregunto:

—¿Dónde pusieron los micrófonos?

En realidad el verdadero micrófono, tras años de hablar bajo y de renunciar a decir lo que piensas, el verdadero artefacto, ya vive dentro de ti.

V

Llegó julio, y con él, la transparencia del verano. La luz de Cuba reproduce con nitidez todas las imágenes de lo que en realidad soy, eso que he guardado para mí. Cuando quiero disimular un sentimiento, un gesto o un ademán agridulce que viene con los recuerdos, la luz natural hace explícito el paisaje interior y te desnuda en plena calle, a pleno sol. La irradiación te levanta el vestido y te posee. Aquí no se puede esconder nada, ni de ti, ni del otro; la transparente iluminación de esta isla retoza con los secretos y los vence.

El verde olivo constante y el rojo candela, el amarillo profundo, los anaranjados humeantes sobre la gama de azules, el blanco escarlata y violáceo de las nubes sangra al atardecer, resistiendo gota a gota el último momento del fatigoso y ardiente día, definiendo la pátina sentimental de un país que grita lo que siente.

Todo describe el grosero síntoma de estar en Cuba un verano completo: el sabor del mango en la boca, destilando el trópico crudo, yodado, dulce, el mamoncillo resbaloso y la almendra ácida machucada en la acera que ahora huele a tierra mojada. Ya al atardecer, la colisión de un arcoíris salobre te saca del mar a empujones porque el peligro amenazante de los relámpagos, la boca cortada por la sal, los dedos engurruñados, los temblores, el hambre y la sed, anuncian que anochece. En la casa te esperan o no..., pero es tarde, hay que salir del mar.

Regresas pensando que pudiste nacer en el paraíso. Es la perenne luz del verano, culpable de esa vívida confusión de eternidad que vive en mi cuerpo y me posee.

Volví de la playa como a las siete de la noche y a las nueve aún seguía en mis oídos la blanda sensación de estar flotando; sufría la volubilidad que deja la delicada lámina de agua separando la superficie de la profundidad. Los que nacimos aquí sabemos que esto es una metáfora, pero lo mejor del verano sería vivirlo debajo del mar. Pocos barcos y muchos peces. El dolor de los balseros rendidos, los animales más salvajes y una sordina a los ruidos que vienen de la ciudad. Los cuerpos no pesan. La luz viaja colada por la sal y las algas, los pensamientos han encallado para poder resistir vivos, los nombres van carenando bajo tus pies y la felicidad afectiva emigró para siempre.

Ésta es la sensación de mis veranos en la isla.

Es muy fuerte abrir los ojos y ver pasar las sombras sobre tu cabeza. Guerreros ebrios armados de hijos y rones. Ahí van, danzando, pataleando con sus cuerpos dorados, deformes o perfectos, achicharrados de verano y ebriedad. Los vas dejando ir, se escapan allá arriba, tú los dejas emerger para quedarte sola un momento.

Es tan difícil estar sola en una playa cubana... Intentas acomodarte poco a poco al fondo transparente, pasas la línea turbia, las corrientes frías o templadas, administras el aire en tus pulmones y aplazas, en intervalos, la superficie hiperrealista, mientras tu cuerpo soporte la inmersión no tienes por qué regresar a la superficie.

Te impulsas, buscas la fosforescencia inicial, te proyectas a lo alto como bala perdida..., y he aquí la realidad asoleada, braceas, tomas aire, y bajas, bajas, bajas para, otra vez, abandonarlo todo. Algunos gritos te advierten que arriba puede haber vida, pero en realidad no te importa, la verdadera vida ocurre en tu pecho, lejos del escenario ilusorio de Cuba, esa isla desquiciada que navega alrededor de tu cabeza hasta enloquecerte seduciéndote con enredos y neurosis, te obliga a penetrar la incoherencia, te invita a creer que todo esto es lógico. Te encarna hasta asfixiarte y postrarte en la superficie. ¡Qué delirio!

Intentaba preparar un gazpacho a lo cubano (con lo poco que hay): melón, cebollas, ajíes dulces, pan viejo, tres ajos pequeños que hacen uno grande, vinagre, aceite de trufas que traigo de contrabando en mi maleta, sal, pimienta, siete tomates que el sol no ha logrado quemar o el calor aún no ha podrido; y en el instante en que apretaba el botón para mezclarlo todo con mi batidora rusa... se va la luz.

Un lamento colectivo detonó desde el vecindario. El silencio y las sombras se apoderaron del barrio. Recordé que no tenía ni una vela para salvarme de la oscuridad. Debo añadir *velas* a la lista de asuntos para traer *de afuera*. Aquí no hay nada, las tiendas están vacías y a mí apenas me queda oxígeno para continuar.

Demasiado tiempo rodeada de agua y política, escasez y paliativos de resistencia socialista. ¡Un apagón con este calor!

Me tendí en el suelo buscando el alivio de las baldosas frías, poco a poco fui desvistiendo el cuerpo insolado, el día se negaba a abandonarme y la noche me descubría dorada, ardiente, sola pero intacta; ligeramente servida, cual cena mediterránea, pidiendo a gritos ser probada ¿por quién?

Tendida y apetecible, destilando desde el suelo ese deseo que el sol borda en la piel de las mujeres costeñas, recorrí la antigua hermosura de mi casa. En el patio, un fragmento de cielo rasgado por las tejas dejaba ver la luna llena, y a lo lejos, descubiertos por las ventanas del comedor, dos edificios *art déco* esplendían entre los árboles y las enredaderas de Picuala.

–Qué desperdicio de cielo, de casa, de mujer –rumié acurrucada entre mis rodillas.

Dicen que un poco de vinagre calma, alivia el ardor, el calor en la piel. Mientras me embadurnaba deslizando por mis brazos el aliño, arranqué mis interiores blancos para hundir toda mi mano en la vulva prendida; la humedad retribuía el gesto, y, empapada de mieles, restregué con furia y dolor la abertura inflamada, escudriñando así la rara joya del deseo. Boca abajo hinqué mis muslos afiebrados, abiertos, haciendo un masculino contrapeso con el suelo; golpeé fuerte mi pelvis hasta sentir cómo el ritmo colérico creaba un placer cilíndrico, agudo e imperceptible al inicio, ese mismo placer que luego reventaba exquisito y penetrante.

Desubicada y delirante, escapada de mí, pude ver mi pequeño sexo, molusco purpúreo, con una abertura abultada, ofreciéndose empapado a mis manos; temblando al contacto de mis dedos. Los golpes volatilizaban el placer hasta casi expulsarlo, pero aún faltaban ciertos toques. Me gusta mirarme y me encanta tocarme para encontrarme sin miedo. Al final de esta acompasada delicia abrillanté el suelo. Un charco resbaladizo de sudores me abandonó tras el grito de siempre. El animalito que soy brama, suspira y se rinde ante el retozo.

Me quedé dormida. No sé si fueron dos o tres horas de penumbra, desperté sólo cuando llegó la electricidad. ¡Vino la luz! Hay corriente. La batidora comenzó a moler ruidosa. El timbre de la casa chilló insistente una y otra vez. Me levanté sonámbula, torpe, tanteando mi ropa interior para alcanzar la ruta hasta la puerta.

Allí estaba él. Quien tocaba a la puerta era el mismísimo Gerónimo Martines, el famoso actor de Hollywood de origen nicaragüense. Llegó como si lo esperara, bajo un insólito estado de naturalidad que

recorría todo mi cuerpo recibí con un beso a Gerónimo, que a esas alturas y con ese calor no era del todo
el mismo Gerónimo que había visto en las películas.
Estaba ensopado en sudor, agotado y como perdido.
¿Qué hacía aquí? ¿Leería mis poemas en...? No, no lo
creo.

—Hola —le dije jalándolo hacia el interior ilumi-
nado, reafirmando así la clara sensación de que ya lo
esperaba, o esperaba algo de esa envergadura que sa-
cudiera mi historia hacia otra dirección, otro gran
punto de giro, esos que ocurren en la vida de vez en
cuando (cada diez minutos de trama), cuando alguien
quiere algo y algo o alguien lo impide... Por eso lo reconocí sin conocerlo, a pesar de la profunda oscuridad que lo escoltaba en la calle, y aunque, repito, no
parecía Gerónimo Martines, lo reconocí.

El actor decidió seguirme la corriente, esa de «ha-
blas como si me conocieras pero cállate ahora que estoy cansado», y, a pesar de no habernos visto nunca,
navegamos en silencio ese remolino afectivo fuera de
toda coherencia, me trataba con familiaridad, me tu-
teaba, estaba cómodo a mi lado. Traía una gorra azul,
deportiva, con unos letreros en inglés, su pelo (casi
afro) abultado se le derramaba a los lados, un chándal
negro bien amplio y cómodo, y un pulóver blanco
como los que uso para dormir. Va demasiado abrigado
para estas temperaturas, pensé. Las zapatillas deporti-
vas lo hacían flotar por el pasillo ambarino, es tan alto
que casi choca con la lámpara *art noveau* de la sala, la
luz pendular le dio un golpe y entonces sí me pareció
recibir en casa al San Miguel Arcángel del Bronx.

—¿Quieres gazpacho? –pregunté siguiendo un diálogo venido de otra vida.

—¿Tienes algo más fuerte? –contestó improvisan-
do el actor de mi nueva etapa en la serie personal que
apenas comenzaba. Sentí su voz grave, era rudo sin
serlo, marginal sin serlo, pero, a la vez, era suave
como seda, elegante y un poco infantil. Su acento,
muy marcado, emanaba de un español perfecto, cas-
tellano infantil, musical, tal vez materno, no lo sé. Lo
llevé a mi improvisada despensa y eligió una botella
de ron añejo Havana Club que estaba allí olvidada
desde el último 31 de diciembre que pasé con mis padres. Al pasar a su lado y vernos en el reflejo del enorme cristal que separa la cocina del comedor me di
cuenta de que yo aún estaba en ropa interior. Me dis-
culpé, fui a mi cuarto a ponerme algo y regresé más o
menos cubierta.

Lo miré beber su ron lentamente, tranquilo; él, a
su vez, me contemplaba saborear el gazpacho desde el
mismo vaso de la batidora. Metía una y otra vez la
mano en el vaso, pasaba mis dedos por el fondo para
recuperar los grumos que le exprimía a las cuchillas,
sorbía con fuerza el final del caldo, y así, embarrada
del todo, le pregunté:

—Bueno, tú dirás. –Él sólo sonreía, meditaba haciendo muecas que le provocaban la acidez del ron,
miraba la casa desde su privilegiada esquina. Me di
cuenta de que no era hombre de muchas palabras,
pero sí un hombre profundo y observador, tal vez tí-
mido o... si no hablaba de nada concreto era tal vez
porque, quizá, no venía a nada especial. A mí me

daba igual si hablaba o no, mi problema era no seguir sola entre apagones, sometida al mausoleo familiar, así que retomé mi paso con normalidad, como si allí sólo habitara el amigo de siempre, ese que viene a «pegar la gorra» todas las tardes. Mientras el actor se tomaba su tiempo y su añejo, fregué los utensilios, enjuagué mi trusa y la colgué en el traspatio, y barrí la arena que dejé en el suelo del pasillo que bordea la casa. Entraba y salía mientras él revisaba el lugar sin abandonar su puesto. Le ofrecí varios tragos de la botella, saqué los hielos que sobrevivieron al apagón, y, en la primera hora de su visita, no hablamos ni una palabra.

¿A qué diablos vino y quién le dio mis señas? Pues no lo sé, pero ahí estaba, bebiéndose tan campante el ron de mis padres, cerrando ese ciclo que yo...

—Vengo a... —Intentó hablar, pero de nuevo se llevaron la luz, y creo que así fue mejor, pues le resultó menos complejo empezar su charla—. Vine para que hablemos de tu padre, quiero hacer una película sobre él. Busco levantar la producción.

—¿Sobre mi padre?

—Si no te incomoda, claro. Ya sé que no lo recuerdas, pero para mí es importante tu versión, o lo que piensas que ocurrió. Eres su única hija, creo.

—¿Que yo no recuerdo a quién?

—A tu padre, claro.

—¿Por qué no habría de recordarlo? —pregunté, desconcertada.

—Pues si tú naces en enero del 78 y a él lo fusilan en julio de ese año... no creo...

–¡¿Lo fusilan?! Ay, por tu madre, no, estás confundido. ¿A quién buscas? –dije soltando una carcajada, la más nerviosa de todas las que tengo.

–Tú eres Cleo, ¿no?

–Sí, encantada –dije, tendiéndole mi mano de lado a lado de la mesa, franqueando la oscuridad, palpándolo una hora después de recibirlo en mi propia casa.

–Pues yo vine a que hablemos de él.

–¿De quién? Define «él» –dije, encendiendo una lámpara de alfabetizador, una de esas «chismosas» que mi madre guardaba desde la campaña en los años sesenta.

–Te digo que de tu padre.

–No, mi padre no fue fusilado, te han informado mal, mi padre murió en un accidente automovilístico hace dos veranos –dije logrando prender el comedor con luz brillante y candela.

–¿Tú estás segura? –dijo mirándome fijo con sus enormes ojos grises de un sutil estrabismo.

–Pues claro... ¿Quieres ver las fotos?

–¿Estás completamente segura? –me interrogó con cara de villano, saboreando una sonrisa que escondía intranquilidad.

–Pero cómo no voy a estar segura.

–¿Puedes prestarme una computadora?

–Sí, claro –le mostré el camino señalando el despacho contiguo al comedor–, pero ahora no hay luz... Mejor traigo la laptop, espera –me levanté velozmente y aparecí con la computadora portátil, la encendí y puse una memoria con forma de silbato que él traía en el bolsillo de su chándal.

La media luz de la computadora dejó ver mucho mejor su cara ruda y perfecta. Sus pómulos bien marcados, la claridad lóbrega de sus ojos y hasta el rojo purpúreo de sus labios carnosos. Allí estaba, tecleando con sus enormes dedos, escarbando en sus escritos, torpe en el arte de encontrar sus datos para demostrarme quién era yo y cómo entraba en su historia.

El Departamento de Estado le había proporcionado a su equipo de investigación toda esta información. Los estudiosos tienen por ley, en Estados Unidos, todo el derecho de recibir un permiso de acceso para la indagación en busca del esclarecimiento en el desarrollo de cualquier proyecto histórico o creativo, y el gobierno puede concederlo o negarlo según la envergadura del caso, dependiendo de si ya los archivos han sido liberados, desclasificados y ya son consultables. Normalmente se puede acceder a todo aquello que se considere un caso cerrado y pase al archivo histórico corriente:

–Como el tema Cuba-Estados Unidos no es un caso resuelto, el expediente ha sido difícil de gestionar porque es parte de la Guerra Fría, de él derivan fuentes y circunstancias no esclarecidas que conectan con programas de protección de testigos y demás.

Toda esta explicación me dejaba más y más confusa que en el primer minuto cuando apareció ante la puerta de mi casa. ¿Ahora resulta que yo tenía un lazo con el Departamento de Estado? En lugar de palabras yo sentía bombas estallar; luego empezó a mencionarme los asuntos en que no ha podido ahondar, pero que se relacionan con la CIA y sus nexos cubanos. Ay, por Dios, lo que me faltaba. Mañana amanecerá la cuadra acordonada con «los compañeros que me atienden» uniformados (guayabera blanca) a tiempo completo en la puerta. Voy a tener que cocinar desayuno, almuerzo y comida sólo para ellos hasta que averigüen si tengo o no tengo que ver con esto. Todo lo que escriba y logre publicar se me irá en alimentarlos, pensé, un poco en broma y un poco en serio.

Como si me viniera encima un *flashback* de todo lo que me esperara en lo adelante, como hilo de sangre que va drenando y desertando de mi biografía, a punto del vahído, sabiendo que yo esperaba todo esto por alguna razón que ahora no puedo dilucidar; advertida ya de que la noche era larga, y viendo que el resto del ron de mis padres había sido liquidado por Gerónimo en dos horas, decidí ir a la alacena por otra botella, una de ron Santiago. La abrí, la ofrendé a cualquiera de los santos, al que me asistiera en ese momento, les dejé su poquito en una esquina del comedor y nos serví responsablemente un trago sin hielo, a palo seco. Tendiéndole y retirándole el vaso de cristal jugueteaba en serio para que me dijera qué diablos tenía yo que ver con esas informaciones del Departamento de Estado y, para colmo, la CIA.

Al fin le entregué su trago, él me pidió hielo, le indiqué el camino al refrigerador, se paró lentamente, caminó unos pasos hasta el oso blanco y ruso que a esas horas ya estaba a punto del deshielo, algo encontró allí adentro, se puso varios cubitos y trajo otros para hundirlos en la transparencia de mi vaso. Nos miramos fijo en la oscuridad, brindamos.

Su teoría, contada así rápido y torpemente en un apagón, me parecía disparatada. Lo raro de esto es que sí manejaba mi fecha de nacimiento, ingreso a cada colegio y datos de publicaciones al dedillo. ¿Por qué? ¿Qué otro interés podía tener en mí, en algo tan insignificante como yo? ¿Por qué seguirme la pista? Empecé a mirarlo armar el muñeco, el árbol genealógico de una vida tácitamente mía, y a la vez ajena, pero no encontraba lógica alguna en sus palabras. Sus monumentales manos entraban y salían de la oscuridad a la luminosidad de la pantalla.

Luego viajaba por un árbol genealógico y hablaba de abuelas, tías y de toda una familia para mí desconocida...

Intenté inventarme que él en realidad podía querer algo conmigo, pero ¿quién era yo?, ¿por qué pasar ese trabajo para llegar a mí? No soy una mujer hermosa, ni sensual, ni atractiva; no tengo ninguno de los atributos que se esperan para seducir a un actor de Hollywood. Mientras él hablaba de guerrillas y de operaciones en sitios de África y Sudamérica, complejos enclaves y contactos en Estados Unidos, yo intentaba conectarme a su historia, pero soy muy dispersa y también un poco frívola cuando de hombres se trata; sólo lograba abstraerme para intentar meter la mano en su pasado amoroso... La verdad es que a éste no se le conoce nada, es un lobo solitario. Siempre me tocan los chicos raros; de cualquier modo, qué podemos saber nosotros los cubanos de estos chismes faranduleros, nada de nada, nosotros estamos fuera de juego.

Volví a la pantalla, traté de prenderme con su rara historia de un «Rambo cubano» activo en la Guerra Fría, en los cárteles, en las guerrillas, acabando con el mundo, cumpliendo estoicas misiones que, la verdad, para mí no tienen pies ni cabeza. Aquello lo veía tan disparatado, tan distante a mi persona. ¿Qué podía aportarle yo a esas interminables e incendiarias aventuras del tal Mauricio? No me gustan la novela negra ni las películas de acción. Odio a los militares y, lo que es peor, odio lo que hoy le representan a este país. Ahora lo que me faltaba era que Gerónimo viniera a convencerme de que yo soy hija de uno de ellos... ¡Qué disparate!, dije mientras se empezaron a abrir carpetas con documentos oficiales escaneados. En una de ellas aparecía el nombre de Cleopatra Alejandra (yo) pero con el apellido Rodríguez (el de mi supuesto padre) y Mirabal (el de mi madre), las huellas digitales de una niña –¿las mías?– inscritas en Washington, D. C., el mismo día de mi nacimiento, enero 28 de 1978, a las 3 de la madrugada (la misma hora en que yo nací). ¡Cuántas casualidades! La madre: Aurora de la Caridad Mirabal Álvarez ¿de Rodríguez? (mi madre), natural de Varadero, Matanzas, nacida el 30 de junio de 1950 (es exacto), ciudadana cubana, casada, de profesión médico. Todo esto coincide, excepto el dato de que soy hija de Mauricio Antonio Rodríguez... Y que yo sepa nací en el Hospital Militar de La Habana, Cuba, ese mismo 28 de enero del 78 que aparece en los papeles. Qué cosa tan rara, aquí dice que soy ciudadana americana.

—Para ellos mi padre no es Rafael Perdiguer, y yo no soy Cleopatra Alejandra Perdiguer —murmuré nerviosa.

—No, según estos papeles oficiales, tu padre es Mauricio Rodríguez, nacido en Mayarí el 12 de enero de 1942.

Todo esto lo decía Gerónimo en alta voz, traduciendo los pequeños datos burocráticos, las anotaciones a pie de página del inglés al español. Los datos de mi padre, el de toda la vida, no aparecen reflejados, ¿por qué? Tampoco dice que mi madre ha estado casada con otra persona que no sea el tal Mauricio. Miramos juntos todo el documento... No, no aparece Rafael Perdiguer.

¿Esto no será una pesadilla?

Jalé una silla y me senté al lado de Gerónimo, estaba muy cansada de estar de pie y todo me temblaba. Lo miraba escarbar razones para convencerme o convencerse y pensé que hay que tener valor para tocar a la puerta de mi casa, sin conocerme, y decirme que mi padre no es mi padre, que nací en el mismo centro de «el enemigo», Washington D. C., y que yo, en realidad, no soy, a esta edad, quien creo ser. ¡Por favor!

Ahora pasamos al acta de matrimonio de mi madre, quien supuestamente se casó con este señor, del cual nunca en mi vida escuché hablar (y se lo dejé claro a Gerónimo), nada más y nada menos que en

Manzanillo, el 30 de octubre de 1969; no consta en notaría, sino en una dirección particular, una casa de familia, ¿cuál familia? Qué cosa tan rara. ¿Manzanillo? Nunca la escuché hablar de ese lugar, sólo me habló de Varadero. Siempre Varadero, hasta el punto de que cuando pienso en el cumpleaños de mi madre lo primero que me viene a la mente es la línea del horizonte en Varadero.

Luego me mostró unas fotos con unas imágenes de mi madre muy abrigada en diferentes sitios de Washington y Nueva York, fotos de mi madre en La Habana, antes y después de mi nacimiento, luego en Varadero, celebrando un cumpleaños en la casa de mis abuelos Bebo y Luisa. En la Escuela de Medicina de Girón, en el Hospital Militar, y más recientes aún, en su último laboratorio de desarrollo cerebrovascular. Aquí en casa hay dos, conmigo y con mi padre Rafael, el último Día de las Madres que celebramos.

—¿Por qué me habrían ocultado que mi madre estuvo en Estados Unidos? ¿Son confiables estas fuentes? ¿Quién consiguió estas últimas fotos? —pregunté desconsolada.

—Me las ha dado el Departamento de Estado. Pero dime...: todas las fechas y las fotos te coinciden, ¿no?

—Pues sí. Pero ¿quién le entrega a ellos la información desde Cuba, la reciente, la actual?

—Me imagino que la Inteligencia cubana.

—¿Y por qué querrían hacer eso?

—Bueno, creo que existen acuerdos internacionales, intercambios para la ayuda del esclarecimiento de algunos temas relacionados con la seguridad nacional. En el caso de Rodríguez debieron existir acuerdos a largo plazo, como el de proporcionar este seguimiento, pues sólo te estoy dando una parte. Es mucho lo que tenemos y más lo que ellos tienen y no nos van a entregar... por el momento. Los archivos de este caso no están del todo desclasificados. Hay partes que sí, pero hay partes que no.

—¿Quién fusiló a este señor? ¿Qué hizo? —Gerónimo me miró cansado y soñoliento.

—Esto es muy largo de contar, y no puedo creer que no sepas quién fue, así que mejor nos vemos mañana y empezamos de cero. Yo, la verdad, pensé que tú sabías todo esto. ¿Te importaría encontrarnos mañana? Llegué hoy y estoy agotado —dijo como si no hablara con alguien a la que le fuera toda su vida en ello.

Al amanecer, con la otra hora violeta, la de los obreros y los bohemios, los bichos raros y los ancianos insomnes, la de los ya despiertos y los por dormir, patinando entre la belleza de El Vedado y la soberbia de sus ruinas, se fue el actor, director, se fue el extranjero. Abandonó el caserón que heredé de mis abuelos paternos, esos que ahora, al parecer, en el corto tramo de la noche al día, en el soplo profundo de una madrugada caliente y rota, habían dejado de serlo.

Le prometí a Gerónimo revisar cada papel hasta encontrar alguna evidencia de todo aquel absurdo. Mi otredad, mi otro yo en la tercera dimensión. La posible realidad de ser otra, venir del otro, proyectada sobre mi cuerpo, actuando sobre lo que parecía el escenario de una vida real edulcorada.

Cerré la puerta y, tras despedirlo, pude quedarme sola con lo cotidiano, pero, a esas alturas, todo lo mío resultaba prestado y lo ajeno un posible camino a lo entrañable. La vigilia movía las sensaciones y el ron transportaba cada uno de los sueños personales a una nada extraña, a un mundo abstracto que jamás había explorado.

La computadora se quedó encendida con una foto de mi madre besando a Mauricio el día de su boda en Manzanillo. ¡Qué cosa tan desagradable es no entender una fotografía! Una fotografía la hace el contexto, los personajes, la tiñe el color de su biografía. No entiendo, no hay nervio ni sentimiento que pueda arroparme ante esta imagen. Si la casa me resultaba ajena, la cama me pareció muy molesta, y aquel lugar, un hotel de paso, ese sitio en el que todo me queda grande o pequeño, donde me han estafado por más de tres décadas. ¡Qué horror!, dije rendida, tapándome la cabeza, hundiéndome en mis sábanas limpias, bajando, bajando, buceando al interior de mis sueños hasta prometerme llegar al fondo del asunto y al inicio de mí.

VI

Todo esto es apócrifo, mi vida es autoficción,
si escribo poesía regreso a la idea inicial... Ciertas
noches, dormida, regresa la criatura que he sido,
esa muchacha que tú recuerdas y se esconde bajo
mis faldas sin domador ni camisas de fuerza.

Todo es apócrifo y yo soy un personaje de un
filme sin rodar, versión de mis deseos que ni siquiera lleva mi nombre.

Desperté a las dos de la tarde, abrí la casa dejando entrar la luz, quería que el sol limpiara todo lo
que me había contado Gerónimo. Abrí la ducha y,
bajo el chorro, juré no volver a verlo, y, lo que es mejor, no volver sobre el tema. No pensar, no sentir, y si
era preciso, no ser. ¿Por qué querría yo ser lo que no
he sido o saber algo que mi madre no habría querido
contarme? A estas alturas me vería bien ridícula buscando un padre. Atravesé las mamparas del baño y

me miré en cada uno de los espejos del enorme dormitorio, siete versiones de mí devolvían una imagen que ahora me parecía intrusa. Sacudí la cabeza repartiendo partículas de agua por toda la habitación, me froté la toalla contra el cráneo y volví en mí.

Preparaba mi escape, me iría tres semanas al interior, hacía años que me prometía hacer un viaje por Cuba para enterarme de cómo estaba la cosa, porque La Habana es una ficción en comparación con lo que la gente pasa en el campo. Quería hacer un viaje por Oriente, ni siquiera conozco Baracoa. Busqué mi maletín de guerrilla y comencé a meter ropa de campaña, un pequeño botiquín de primeros auxilios, repelente, latas de comida... Quería salir cuanto antes, Gerónimo no debía encontrarme aquí a su regreso. ¿Acaso no deseaba empezar a escribir narrativa? Pues bueno, lo primero es ver cómo...

Un sonido seco, abrupto, resonó en toda la cuadra. El oscuro pasillo se iluminó de golpe y, de repente, ya tenía a seis personas o, mejor, a seis policías vestidos de civil allanando mi casa.

EL REGISTRO
Intento no sentirme vigilada
No sentir la melodía neurótica
Pero me persiguen   lo sé por todo lo que de mí falta
    en los objetos violados
Sacan tu corazón de la casa
Ultrajan los documentos y el apego
Matan el alma de las fotografías
Rompen tu círculo de confianza

Registran los abrigos y decapitan los juguetes
Te desnudas entre paredes de cristal translúcido
Vives marcada filmada escuchada
Sustraen tu imagen de los espejos   exilian tu alma
    inxilian tu ser
Trastornan el orden interior de los objetos
Descubren tus debilidades y trabajan en la herida
    hasta volverla cicatriz

Siempre creíste ser nada
pero ahora eres
su nada.

Tocan bruscamente a la puerta, si no les abres, cambia el recurso, una buena patada o unas delicadas llaves maestras sirven para entrar, dependiendo de si eres ciudadano cubano sin derechos ni posibilidad de ser escuchado a ningún nivel o si, en cambio, eres un diplomático u otro extranjero que pueda levantar una querella judicial. Los métodos varían dependiendo del calibre de la víctima, si eres «muerto sin doliente», un común mortal indefenso, te destrozan todo; si eres alguien que les preocupa, lo harán cuidadosamente.

   ¿Quieren o no quieren que te enteres de que te hicieron el registro? Pueden entrar cuando no estás, pueden llevarse tu disco duro, traerlo enseguida y tú nunca enterarte del asunto, o pueden devastar tu casa para hacerlo obvio, infligirte miedo, paralizarte con la acción. Esos días de terror te alcanzarán para meditar si debes o no debes hacer lo que estás haciendo. Seguir metida en lo que estás metida. ¿En qué estoy metida? El problema es cuando no estoy metida en nada y me amenazan por lo que pueda estar pensando y anoto.

Todo este despliegue depende del objetivo inicial que traiga dicho operativo. Aunque en realidad existen los eternos y usuales operativos domésticos; por ejemplo, todo esto que ahora escribo será revisado mañana o el lunes por mi empleada, ella sabe que yo lo sé, pero convivimos en este «oscuro esplendor» sabiendo que, con sólo escribir, me juego la vida y que, sin ella, la vida sería más compleja... No hay que llegar a un registro, y siempre es mejor que la empleada se encargue de informar tus pasos y de tranquilizarlos, el resto es muy violento. El segundo paso es el llamado «seguroso de la familia», ese del que siempre hablo, el amigo de toda la vida, aquel que te revisa los poemas, te ayuda a presentarte en concursos nacionales e internacionales, te pasa a máquina los textos y se lleva tu memoria para imprimir las cosas, pues tu impresora, de repente, se trabó. Ésa es la persona que, aun queriéndote, mantiene al día a los miembros de la Seguridad del Estado que llevan tu caso. Él sabe que tú sabes, lo alimentas, lo quieres, lo ayudas en todo, porque es mejor que el informe esté en sus manos y no en manos de un inclemente desconocido.

También está el método de leerte los correos electrónicos, pero yo en mi casa no tengo Internet. Vivo rodeada de libros y fantasmas, estoy sola y, muy de vez en cuando, me llaman mis editores de varias lenguas para preguntarme cuándo quiero salir a tomar aire para no asfixiarme aquí dentro.

Mi poesía es mi protección mágica contra el miedo, si escribo, si leo poesía, si recito poesía para mí, en silencio o en voz baja, como un mantra, sé que nada me sucederá. En una mesa en Córdoba, sentada al lado de Herta Müller, la escuché contar cómo recitaba poemas para sus adentros mientras la llevaban a interrogatorios de la Securitate. Eliseo Diego, a él recurro para rezar cuando empiezan los interrogatorios en el aeropuerto, los registros y la cadena de miedos cotidianos. Un poema de Eliseo, uno mío, uno de Eliseo, uno mío, así me calmo, así no dejo que me desarmen mientras lo intentan.

En las filas de la Seguridad hay licenciados en Literatura, Historia, lingüistas, físicos; hay escritores, cantantes, filólogos, científicos, psiquiatras, mecánicos, filósofos. «Tenemos las prostitutas más cultas del mundo», según dijo Fidel en uno de sus extensos discursos, los médicos más preparados del mundo, el pueblo más alfabetizado del mundo, lo que no tenemos aquí es la posibilidad de hacer nuestro mundo, por tanto, todo lo que hacemos, lo bueno y lo malo, es completamente consciente, y eso me aterra. Estamos atrapados entre la conformidad y la deserción en la isla militar de los adioses. Los cubanos hemos sido muy bien entrenados, el verdadero daño está en el alma. Aquí no hay inocencia posible.

A esta casa no viene casi nadie desde que murieron mis padres, sólo la empleada (la misma de hace treinta años) ha regresado a trabajar tres veces a la semana, así que algo dejó de hacer ella o hizo mal para que se metieran de golpe en un operativo tan violento que comprende asustar a una mujer sola, indefensa, que no es valiente ni tiene madera de heroína. ¿Qué puedo hacer yo contra ellos?

Me quedé parada en medio del pasillo, y como quien espera lo peor, anestesiada, los dejé ir y venir por toda la casa. Total, ya esta casa no es mi casa. Lo sé.

Primero revisaron detrás de algunos cuadros, desactivando o activando unos aparaticos raros de cuya existencia ni yo misma sabía.

Luego me hicieron varias preguntas:

1. Sobre mi computadora. (Se la entregué al oficial al frente del operativo.)
2. Sobre el maletín de ropa, comida y medicinas:
   –¿Adónde se dirige la compañerita? (A Oriente.)
   –Por qué. (Porque sí.)
3. Sobre Gerónimo, sus intenciones y la cantidad de veces que me ha procurado aquí o en el extranjero. (Qué podía responderle, nada. Si yo misma no entendía lo que me estaba pasando.)
4. Sobre las fotos o el archivo familiar. (Se las entregué toditas.)
5. Sobre las bebidas o sustancias que yo consumo y se encuentran en la vivienda. (Había muy poca bebida y se la llevaron... ¿para analizarla?)

Yo sólo hice una pregunta a la que ellos contestaron riendo.

–¿Tienen una orden judicial? –Parecía ser demasiado tarde, pues para entonces la casa ya estaba patas arriba.

Uno de los policías, el destinado a revisar mis documentos en la computadora, leía burlón mis poemas en voz alta, muerto de risa, desafiante e irónico, le infligía la entonación del comunicado en los matutinos escolares. Revisaron mis videos, mis fotos, filmaron mi cuarto, levantaron un acta sobre lo que había en el refrigerador, el dinero en efectivo y todo lo que guardo en la despensa. Se llevaron los recibos del teléfono y me preguntaron sobre las poquísimas llamadas apuntadas, revisaron el pago de la luz, el pago del gas, incluso el pago del agua.

Me pidieron que asintiera con la cabeza si encontraba nombres conocidos en una lista que me fue leída. No, yo no conocía a nadie. Me mostraron las imágenes grabadas en mi propia casa...

La vejación empezaba a ser cada vez más honda. Toda mi ropa fue tirada al suelo (y era curioso ver la ropa interior enredada entre los libros con mi nombre). Los libros sí que fueron examinados al dedillo y cada portada fotografiada por el encargado de «la técnica» en este desembarco.

Volvieron a cargar los aparaticos que, para entonces, ya había comprendido que eran cámaras y micrófonos.

Cuando se fueron me sentí expuesta, desnuda, vacía. Quedaron varias preguntas que, por incontestables, prefería silenciar:

¿Por qué a mí? ¿Quién soy para ellos? Pero, sobre

todas las cosas, quién soy para mí. ¿Por qué nadie me visita desde la muerte de mis padres? ¿Quién puede decirme? ¿Quién que no sienta este miedo?

Márgara, nuestra empleada de siempre, es una sombra negra que revolotea por casa como una mariposa bruja atravesando los salones en silencio. No tengo memoria de ver a mi madre haciendo limpieza ni cocinando, siempre fue ella quien nos ayudó sin faltar un día.

Es una mujer madura, alta, delgada, negra y fibrosa, que desplaza los muebles más pesados sin chistar, que patina descalza con la escoba, abrillantando los pisos mojados sin perder el equilibrio. Habla poco o nada, su silencio impone, no hay que regañarla ni pedirle que haga lo que sólo ella sabe cómo debe hacer.

Márgara trajo a la mesa un plato de sopa de pollo, me lo puso delante, picó un limón ante mis ojos y exprimió el líquido sobre el caldo.

¿Qué hago aquí? Expuesta en un *reality* de cámaras y micrófonos en el escenario de lo que un día creí era mi casa, pensé.

—Estamos siendo filmadas, Márgara —le expliqué—. Todo lo que hacemos está siendo visto en otro lado.

Ella sólo asintió con la cabeza, se limitó a seguir con su rutina de trabajo, me preparó la cama y se fue al anochecer dejando la casa limpia, con absolutamente todo colocado en su lugar.

¿Cómo podré vivir en lo adelante con esta falta

de intimidad, atravesando este largo plano de autoficción, compartiendo mi vida con todos y con nadie?

Al poner la cabeza en la almohada y sentir el profundo olor del jabón de lavar, el de las herviduras en el patio, el humo de madera, carbón y potasio que se traga el churre, el mismo jabón amarillo con el que se bañaba Barbarito Díez, regresé al sentimiento inicial de: ésta es mi casa y éstas son mis sábanas blancas. Mientras me acomodaba colocando mis huesos sobre el colchón, descubrí unos papeles ubicados debajo de las almohadas. Eran mis poemas, pero ¿qué hacían allí? Márgara acababa de cambiar la ropa de cama. Me incorporé para releerlos y descubrí dos copias de cada uno, mi texto y una versión que alguien había escrito a partir del mismo texto.

Donde decía *exilio* ahora dice *delirio*.

Donde decía *miedo* ahora dice *hielo*.

Donde yo puse *fascismo cultural* ahora dice *abismo gutural*.

Donde aparecía *encierro* alguien colocó *invierno*.

Existían copias de más de veinte textos míos, y al final de todos, en una hoja en blanco, aparecía la letra de Márgara, esa que sólo había visto en la lista de mandados o en los recados telefónicos, y que ahora me advertía:

«Es por su bien que los he ido cambiando. Perdone, pero no tengo otro remedio. Cuídese y no hable de esto, Márgara.»

VII

Perdía el pulso y la noción del tiempo cuando, tendida de espaldas, dejaba que Gerónimo, con sus seis pies de altura, me montara arrojando su cuerpo sobre el mío. El peso era parte del éxtasis, y el esfuerzo de sostenerlo en mi espalda me mantenía dilatada, potente, tensa como una cuerda de arpa. Encajaba su sexo «hecho a mano» desde atrás, lo ensartaba suavemente mientras lo llaveaba hasta estrangularlo en una magnífica curva. Él deliraba entre saltos, topando la punta del diamante, provocando el filoso hilo del gusto, minándome de diminutas explosiones, voladores de placer, marejadas que iban y venían compulsando la embestida de luces y goce, estallidos furiosos y húmedos al final del combate. Con la mente en blanco, embriagada por su olor, untada de hircismos y aguas benditas, despertaba entre orgasmo y orgasmo sólo para mirar los artefactos que amenazaban desde la pared. Me sentía una traidora al no contarle que nos estaban grabando, espiando, vigilando. Volvía al placer, dejaba de pensar en el ojo que nos miraba, regresaba a la madriguera de mi cuerpo hasta escalar el vaivén de sus fuerzas y convulsiones, regresaba al interminable castigo que cumplía obediente y de espaldas, con las rodillas encendidas, hundidas y hacinadas en los muelles, sintiéndolo temblar sometido voluntariamente sobre el poder de mis huesos.

Quien ha tocado un teclado fortalecido por contrapesos de plomo a los extremos del columpio interior de las teclas, quien ha sentido esa tirantez provocada para entrenar y robustecer los dedos conocerá el esfuerzo de sacarle música a esa tensión. Conoce que el placer duele, pero transporta y enarca cuando la melodía fluye a pesar del dolor.

—Gerónimo, nos están mirando —dije entre gemidos, extendiendo mis rodillas, desmayando mi cuerpo sobre el colchón, haciéndolo caer sobre mí como si se descolgara de un segundo piso hasta alcanzar el suelo.

—¿Dónde? ¿Quién? —preguntó Gerónimo incorporándose asustado.

—Las cámaras. Ahí están.

—Ok, ok... Tranquila. No me asustes. Pensé que había alguien dentro de la habitación.

—Bueno, sabe Dios cuántos nos observan desde alguna parte. ¿No te importa?

—Cleo, estoy tan acostumbrado a las cámaras, a los paparazzis, a los amigos que venden tu vida a las revistas... Además, eso debe estar desconectado, es sólo una amenaza... Vírate, por favor, adoro verte de espaldas —dijo lanzando su camiseta al artefacto más cercano, volviendo a mis nalgas con delicada lujuria.

Hacer el amor frente a las cámaras, mostrarte desnuda en la intimidad de tu habitación, desvestirte para una multitud desde el escondite de tu infancia, ese lugar donde pasaste tus fiebres, tu adolescencia, tus pesadillas, tus juegos y tus tribulaciones más recónditas. En este sitio se esconden mi llanto, mis obsesiones, mis alegrías y todas mis derrotas. Hacer el amor con Gerónimo en todas las posturas posibles frente a la cámara, de espaldas a la cámara y en picado, alcanzando el cielo, sí, pero sin perder la conciencia de que nos vigilan. Las paredes de mi habitación tienen vistas a sabrá Dios qué lugar de esta ciudad, donde otros hombres y mujeres se reparten las migajas de nuestra intimidad.

Gerónimo duerme entre mis piernas. Entro en el letargo que viaja del sueño al placer. La habitación es hoy un estadio de béisbol, nosotros tenemos los ojos vendados, han puesto una cama en el centro del campo, expuestos en el box nos poseemos, y desde allí, el público observa el juego sin escrúpulos, nosotros tenemos los ojos vendados y ellos lo reciben como un simulacro, sin *feeling*, por eso aquí, en el estuche de nuestros cuerpos, todo sigue sucediendo como si estuviéramos solos.

Al amanecer me levanto directa a ducharme, y es que, aunque las cubanas suelen bañarse al atardecer, mi madre me enseñó a hacerlo dos veces al día. Gerónimo y yo tenemos costumbres muy distintas, él se enclaustra horas en el baño de mis padres mientras yo hago caca y pipi; incluso me baño con la puerta abierta. Atravieso la casa chorreando agua, pensando en lo que voy a escribir, y en cada esquina donde veo una cámara, saco la lengua al aparato y les doy los buenos días de mala gana a quien sea que nos espíe.

Al abrir mi pequeña computadora y consultar los documentos Word me doy cuenta de que no hay nada de lo escrito esta semana, todo ha desaparecido. Reviso temblando cada uno de los archivos, quiero saber desde qué fecha no aparecen mis textos. No hay nada dentro de mi computadora. La cierro de golpe. Miro a Gerónimo hacer el café en la cocina, su pelo húmedo, su cuerpo distendido, su canturreo en inglés y su placidez no merecen interrumpirse con mi desgracia. Pienso que esto es un error, una pesadilla, vuelvo a mi laptop, la abro, meto mi cabeza en la pantalla. Busco un solo verso, una anotación, pero no hay nada, nada.

Intenté llorar y no pude, intenté correr pero mis piernas no me respondían. Todo ha sido borrado de mi computadora. Intenté recordar de memoria mi poesía, pero no suelo memorizar mis textos, recordarlos me parece tan espantoso y ridículo como perderlos.

—No recuerdo mis poemas de memoria —le dije alterada a Gerónimo, tomando la taza humeante que él amablemente me ofrecía.

—Muy pocos escritores recuerdan ya sus poemas.

—Han desaparecido. No hay nada aquí —comenté abriendo mi computadora, mostrándole el vacío azul de la pantalla con un poco de terror, bebiendo aprisa mi café a la espera de que encontrara algo adentro.

Gerónimo abrió incrédulo la computadora y yo me dediqué a mirar las huellas internas que dibuja el café. Hay personas que dicen poder leer el futuro en el dibujo que se abandona en el fondo, cuentan que en la morfología de ese lodo, de esa pátina enmelada, se esconde tu destino. Lo extraño de mi dibujo es que en la taza no quedaba mucho más que el polvo disperso, en el fondo de la porcelana flotaban sólo algunas ilegibles virutas de café y nada más.

–Cleo, no hay nada. La computadora está como por estrenar. ¿Estás segura de que es aquí donde descargamos mis archivos?

Yo sólo lo miré seria, disparando dos ráfagas de fuego desde mis ojos a los suyos.

–No puede ser –dijo revisando el aparato por todas partes, mirándome con recelo, pero admitiendo que, por primera vez, valía la pena creer mis exageraciones.

Márgara llegó temprano, dio los buenos días desde la puerta para anunciar su aparición, me encontró metida en la cama con una depresión de aquéllas, de las que no sufría desde la muerte de mis padres. Recogió la cama como si yo no estuviera dentro, me levantó sólo para cambiar las sábanas, luego me devolvió acotejándome sobre la almohada y me tapó.

Plantó la olla de presión que, en media hora, ya tenía la casa inundada de un intenso olor a frijoles colorados. El sonido de la olla es el sonido de la cubanidad. La banda sonora contra el hambre de todas las casas en este país. Un tono asmático, entrecortado y eterno que suena a realidad.

Hizo café con leche con poco azúcar y una pizca de sal, como se lo hacía a mi padre. También unos plátanos verdes fritos con ajo, bien machucados, a eso se le llama «mogolla», y es lo que se desayuna en algunas zonas de Oriente. Ella es de allá, y por lo que estoy viendo mi supuesto padre también.

Buscó todos los poemas impresos dispersos por la casa, incluidos aquellos que ella había sabido tachar intentando variar su contenido para burlar la censura. Los puso sobre la mesa una vez servida con mantel de hilo y cubiertos de plata, jarras de cerveza checa para tomar Cristal y cucharitas de postre sin postre.

Cuando Gerónimo llegó, sudado y muerto de hambre, nos sentamos a almorzar. Todo parecía cotidiano, como si él y yo viviéramos por décadas en esta casa, pero no, recién acaba de mudarse, en los hoteles cubanos no hay privacidad. ¿Y en esta casa la hay? La privacidad en esta isla es como el invierno o la nieve, sólo una ilusión.

El americano no entendía muy bien el ritual de comer con Márgara, que ya me había desplazado de la cabecera para acomodar al actor. El machismo leninismo es incomprensible para este hombre que convive con el feminismo profundo de sus colegas. Nada de eso parecía importarle en estos momentos, pues su intento por acceder al archivo histórico mediante petición oficial fue rechazado por las autoridades. La respuesta fue un «no» rotundo sin ningún tipo de diplomacia o delicadeza.

—Puedes tener dos premios Oscar y la opinión pública, las revistas y los diarios internacionales a tus pies, pero aquí eso, «compañero Gerónimo», no nos interesa. Y no, chico, no entras al archivo histórico porque no nos da la gana y punto —dije engolando la voz, imitando la de un militar ronco, cortante y desagradable.

—¿Cómo se puede hacer un filme sobre ese personaje sin consultar estos archivos? Eso no sería serio.

En Cuba, cuando las cosas salen mal, la gente decide emborracharse, dormir o hacer el amor. Gerónimo se acostó enseguida a esperarme y yo me quedé revisando las copias que Márgara me había recuperado.

—Gracias, Márgara —dije casi a punto de llorar—. Esto no es nada, he perdido dos años de trabajo.

Abrí mi máquina, como para empezar a copiarlos, pero ya mi propia computadora me parecía poco confiable. Miré el documento vacío como si de su blancura azulosa pudiesen emerger mis poemas. Como los niños, estaba empeñada en cambiar el final de mi dibujo animado. Dos lagrimones salieron de mis ojos justo en el momento en que Márgara se plantó delante de mí diciendo:

—Copie, niña, copie.

UNA JAULA EN EL CUERPO
Y ella que soy yo quiere abrir la jaula
Jaula que me separa de lo vivo
Pero ya estábamos   sí   un poco muertos con todo y
     pájaros hambrientos de luz

Muerta de todas las palabras calladas en lo oscuro   has
    llegado a nosotros
Lista para deletrear desde el encierro ilustrado
Intento traducir con fuerza mis letras grabadas
    en el cuerpo.

JAULA DE JUGUETE
Trampas veo en el camino
Pero parecen flores brújulas o espejos
Me hizo hembra la colección de jaulas que heredé de
    mi madre
Caí tan bajo como el grave sonido de mi orquesta
Allá voy arrogante y cautiva
La embestida promete lo peor
Muchacha jaula de juguete
Mi corazón virgen coloreado no hereda afrenta ni dolor
Y es que no hay jaulas en el cuerpo de una niña.

A las seis y media de la tarde, cuando Gerónimo despertó de su siesta, Márgara seguía parada en atención dictándome de memoria mis poemas perdidos. Me dictaba mi versión y la que ella recomendaba como aceptable para las autoridades; por respeto, yo copiaba las dos. Pocas veces le había escuchado tan claramente su voz, pero esta vez entonaba con firmeza, como una pionera en el matutino de la escuela primaria, recitaba dándoles un sentido, su sentido, a mis palabras, aun cuando supiera que todas aquellas frases la comprometían.

La imagen de la negra alta, fibrosa, derechita e inmóvil dictando textos sobre el atardecer fascinó a

Gerónimo, quién decidió abrir una de sus botellas de whisky, las que trajo de L.A. para brindar por todo aquello que a él le resultaba irreal, fascinante.

A las ocho de la noche se fue Márgara. Cerró la puerta con un susurro que creí descifrar.

—Cuídese que yo no soy eterna.

Gerónimo y yo nos tendimos sobre las frescas baldosas, y, sin decir una palabra, hicimos el amor vestidos bajo las cámaras, sin encender la luz que poco a poco se escapaba como el día de nuestros cuerpos.

—¡Fumigacióooooooooon!!!!!!!!! Salud Pública. ¡Fumigacióoon!

Eso fue lo primero que sentí al abrir los ojos. El ruido de unos motores que venían desde la calle, un penetrante olor a keroseno con azufre, y la sensación de que el humo podía tragarnos en cualquier momento si no abandonábamos la cama con urgencia. Gerónimo tomó su albornoz y se lo tiró por encima, yo me puse un short y una camisa suya, corrimos a abrirles la puerta pero ya los tubos asomaban por los pasillos laterales de la casa y la humareda no nos dejaba respirar. Estábamos sitiados.

El grupo armado penetró en la casa. Alguien debe conducirlos por mi laberinto, pero tragarse el tóxico veneno sería peor que vigilarlos para que no roben o husmeen nuestras pertenencias. Da igual. Hemos sido vulnerados tantas veces... Nos sentamos en la acera, justo frente a la casa, para mirar, desde el primer balcón, la intervención en nuestra intimidad.

110

Durante media hora permanecimos allí, esperando que el líquido desapareciera y el aire se transparentara dentro de la casa. En medio de la bruma vimos entrar a Márgara, la oscuridad de su cuerpo fue franqueando el humo nevado hasta perderse, como si nada, en el blanco celaje. Márgara está entrenada, está hecha a prueba de balas.

–Aquí cada día hay una nueva contienda, ¿verdad? ¡Que gracioso! Los mantienen activos, atentos, entretenidos, solucionando intríngulis a cada hora... ¿Y si emplazáramos una cámara? ¿Qué crees?

–Pero si las cámaras ya están emplazadas –dije mortificada.

Márgara apareció en el portal con dos tazas de café con leche. Crucé la calle para buscar la bandeja, le di un beso agradecida y le pedí que mejor saliera un rato a respirar. Ella se negó porque había mucho trabajo atrasado dentro. Al regresar a la acera me encontré con Alberto conversando con Gerónimo como viejos amigos. El «seguroso de la familia» tomaba posesión en nuestras vidas nuevamente. Quise advertirle pero, al parecer, ya era tarde.

Una y otra vez perdonamos a nuestro secuestrador, lo justificamos, le aceptamos nuevamente en nuestras vidas, y hasta le celebramos su cumpleaños, como si esa fecha no fuera, de algún modo, el aniversario de nuestro propio entierro. Y allí estábamos, abriéndole una botella de Chivas a Alberto. ¿Por qué? Pues porque hoy cumplía cincuenta años; porque engañó a Gerónimo diciendo que en el archivo, sitio donde pasara sus dos años de servicio social, le ha-

111

bían comentado que él no podría acceder a la información por muy actorcito de Hollywood que fuera, y que sería él la persona indicada para resolver esto *Onther graun*. El mismísimo Alberto que hoy, casualmente, cumple cincuenta años, y por si yo no se lo creo, me muestra su carnet de identidad, y por si quiero añadir un elemento sentimental más a esta trama...

–¿Qué día es hoy, Cleopatra Alejandra?

–Agosto 9.

–¿Pero qué pasó un día como hoy?

–Naciste tú –dije disgustada.

–¿Y qué más, mi niña linda? ¡Adivina! –dijo agarrando mis cachetes con las pinzas de sus dedos.

–Pues no sé –dije empujándolo bruscamente.

–Un día como hoy se casaron tus padres. Hay que celebrar. ¿Sí o no, Gerónimo? –dijo mostrándole una foto de la boda de mis padres con gran orgullo, quiero decir, de mi madre con el que dicen es mi padre.

Gerónimo no se daba cuenta de que todo estaba preparado. De que la trampa comprendía la foto porque nadie ajeno recuerda una fecha así, y mucho menos anda con la foto de la boda de los otros por la calle.

–La traía, justamente, para celebrar que...

Gerónimo estaba encantado, y sólo brindaba y escuchaba a Alberto en su despliegue de fanfarronerías sobre mis padres. Apuntar datos, preguntarle cosas que yo misma puedo contestarle sin tanto histrionismo. Y es que una de las características de «el compañero que nos atiende» es la capacidad para hacerse útil, su tino para llegar a tiempo, acompañarnos en nuestros trances y animarnos cuando todo parece perdido. Alberto tiene un gran carisma, y sólo pude darme cuenta cuando vi a un gran actor caer rendido ante su performance.

¿No es Cuba un lugar sobradamente alucinante, con sus demonios ocultos y visibles, sus mangos chorreantes al sol, el aroma del picadillo a la habanera con algo que parece carne y que Márgara prepara desde la cocina, los aguacates sudados sobre la tabla de madera, el maíz hervido, los plátanos ennegrecidos, cuasi podridos colgados en el patio, el delirio que reparte el ron a nivel del mar y nuestras cabezas alucinando, alucinando una posible salida al mar?

¿No es bastante arrebato ya toda esta irrealidad y lo que destila, para que Gerónimo, rodeado de cámaras y de situaciones incómodas e impredecibles, le acepte un pequeño taco de marihuana a nuestro querido y nunca previsible, infinito Alberto?

«En el socialismo nadie sabe el pasado que le espera», y sé perfectamente que este humo se convertirá en tragedia.

VIII

Estoy sentada sobre este banco de mármol desde hace más de tres horas. Esto parece un mausoleo. ¿Cómo podrán los máximos líderes contemplar desde aquí el panorama político? Esta altura contiene una condición incómoda, se debe vigilar la caída desde este vértigo, y sostenerse duele.

Gerónimo fue autorizado a entrevistarse con el nuevo director del archivo histórico. Hace meses que espera esta entrevista, ha ido y venido mes por mes sin ser recibido. Por fin hoy le han abierto las puertas.

¿Cuánto tiempo estará allí? ¿Le permitirán escudriñar en los documentos? ¿Existirán aquí papeles de ese hombre? Ese hombre, ¿existirá?

Desde pequeña he recorrido a pie, bailando, desfilando, en carro y con la mirada, la Plaza de la Revolución, pero hoy se ve diferente, porque el invierno en La Habana suaviza el carácter del teatro que interpretamos, todo resulta nítido, hoy encuentro un lirismo cínico en todos estos símbolos. Los guardias me miran a lo lejos, pasan volando un periódico de ayer y una mariposa ambarina. Es tan espeso este silencio, veo las marcas de los desfiles en el suelo, veo barrerse toda nuestra vida, la arrastran y la tiran en un basurero rodante.

Nuestra existencia ha sido un gran desfile que al final deriva en una frenética conga, cuando parece que vamos a estallar, a rebelarnos ante la afrenta, ante las mentiras proyectadas sobre los edificios de esta plaza, terminamos bailando, ebrios de política y encandilados de miedo.

Primero es el desfile, luego la fiesta «Pan y Circo», cervezas y música en vivo, más tarde doblar el cuerpo bajo el chorro de agua, dejar que esas frías agujas toquen, atraviesen, ensarten tu espalda a la pared.

La visitación del aguardiente, las dudas y el endemoniado espíritu del ron vienen a interrogarte. Los recuerdos, las fugas perpetuas y el miedo a escapar o no, a no saber qué sería lo correcto, te inmovilizan. Entonces el agua purifica el llanto y el gemido se traga la culpa de ser espectador y parte de este circo. El discurso y la conga se van por el caño. Caes, caes, caes sabiendo que un día no podrás levantarte del daño. Sabes que tampoco tus padres pudieron hacerlo porque era muy tarde para sanarse de toda esta enfermedad que padecemos.

Vivimos hacinados, y este hacinamiento, esta necesidad del prójimo en la supervivencia nos contagia y debilita, nos echa a fajar, nos separa hasta hacernos caer en una soledad espesa, rodeada de testigos.

Estoy sentada en un banco mirando el panorama, ante mí la Plaza de la Revolución vacía. Martí tiene su mirada en otra parte, tal vez sobre el mar, sobrevuela el desastre, se dirige al más allá, y yo me siento muy pequeña aquí, bajo el gris y sus sombras, esperando a que a Gerónimo le entreguen las migajas de la memoria histórica.

Gerónimo por fin atraviesa la explanada, un militar lo acompaña. Primera posta, segunda posta, tercera posta, un salto en la acera y al fin me abraza.

Es tan difícil vivir algo a escala humana en esta plaza ¿sitiada?

Antes Plaza Cívica, hoy Plaza de la Revolución... ¿y mañana?

Somos el mañana, nadie se ocupa de hoy, nadie prepara la transición. Mañana es hoy y el futuro no existe porque los que nos gobiernan saben que ellos viven ya su propio futuro.

Gerónimo me besa y, lentamente, como quien acaricia con su voz mi oído, me explica muy bajito que tenemos que volar a México. Aquí no hay nada. La información se ha desplazado. Se dice, de modo informal, que todo está en manos de García Márquez porque él quería hacer un libro sobre este personaje y se le facilitó la documentación. No es seguro, pero hay que verificar si es cierto.

—¿Pero quién puede llegar a García Márquez?

—Yo —dijo Gerónimo resuelto, mirándome a los ojos, haciéndome recordar que recibió varios premios y nominaciones al interpretar en el cine a Aureliano Buendía.

—¿Conoceré a García Márquez?

—Por supuesto. ¿Crees que él tenga esa información o están intentando distraerme con algo que ellos piensan imposible de lograr?

–Creo que García Márquez se ocupa de otra literatura, creo que nada de eso es cierto, pero...

–Pero conocerás a García Márquez... Llegaremos al final de esto.

Un carro con parlantes probando sonido hace viajes circulares alrededor de los custodiados ministerios. Un himno recorre la plaza mientras varios japoneses filman al Che expuesto, desparramado sobre un lóbrego paredón de granito pulido donde, desde que aprendí a leer, dice «Hasta la Victoria Siempre». El telefoto de una japonesa descubrió a Gerónimo. El grupo de turistas se nos aproximó amenazantes, armados de camaritas de todos los tamaños. Caminaban hacia nosotros mientras la lluvia arreciaba, rompiendo la visión, y nos permitía escaparnos hasta los portales del Teatro Nacional. La tormenta de enero se apoderó de los cuerpos sobre la plaza. Nos besamos bajo los almendros, el frío en Cuba es peligroso, el agua te cala los huesos, la humedad se te cuela en el cuerpo hasta enfermarte. La sal del trópico también enferma. La Habana parece ahora un set de cine, y es que eso ha sido desde que tengo recuerdos, un gran set en blanco y negro, un escenario donde los cubanos hemos posado como extras. Ahora, y sólo ahora, nos vamos sintiendo un poco protagonistas.

Conoceré a García Márquez, pensaba mientras temblaba de frío, atravesando la sombra del apóstol en la explanada gris, rompiendo con los fantasmas patrióticos que me inmovilizan desde siempre. Arranco la entidad de esos espectros, los desgarro como quien despedaza un celofán, los desgajo en mi mente, los empujo y aplasto, ellos caen a mi paso, mientras corro, corro, corro bajo el aguacero persiguiendo un taxi, amarrada a la mano de Gerónimo, quien poco a poco aprende a sujetarme y conducirme entre la lluvia y la ficción.

Pedir una visa para una cubana es mendigar.

Pedir una visa para una cubana es rogar, sentirse desvalida ante la cara de una mexicana que no quiere creer que haces algo más en la vida que acostarte con un extranjero para escapar del averno socialista.

¿Qué es un cónsul?

En Cuba un cónsul no es un empleado público, es un rey. Es tratado con reverencia porque tiene las llaves de entrada a la otra dimensión.

Pedir una visa en Cuba me da tanta vergüenza.

Me preguntan cosas que no vienen al caso. ¿Estas preguntas se las hacen a todos los ciudadanos que llegan hasta aquí?

Llevo mucho tiempo sin salir de Cuba, deseo respirar un poco, necesito conocer al premio Nobel, pero odio pasar por esto. ¿Vale la pena hablar de ti, denunciarte a ti mismo por conseguir el permiso de entrada a otro lugar en el mundo? Renunciaría a todo por no tener que responder una sola de estas interrogantes.

La cónsul mexicana duda de mí, y yo, francamente, dudo de que todas estas preguntas sean necesarias. Tu intimidad, tu integridad han sido puestas sobre la mesa.

¿Qué pasaría si me asilara en México? De México escapan miles de ciudadanos diariamente.

¿Qué pasaría si uso a México como puente para ir a Estados Unidos? Por esa frontera pasan miles de cubanos a diario. Yo sería sólo una lágrima en el mar de emigrantes.

La carta de invitación dice que voy a uno de los lanzamientos de mis libros, pero eso no es verdad. Mi último libro ya fue lanzado y promovido en México. ¿Por qué miento? ¿Por qué mentimos? ¿Será mentir la única forma honesta de salir de Cuba? Mentimos a las autoridades cubanas, mentimos a las autoridades internacionales. Los cubanos, desde niños, somos enseñados a afilar nuestros dobles discursos para sobrevivir.

Gerónimo espera al otro lado de la oficina conversando con el embajador. Sólo un vidrio nos separa. Se escucha todo, hablan acerca de esa versión que nunca se filmó sobre el asesino de Trotski. ¿Padura estaría dispuesto a vender el argumento? ¿Quién dirigirá esa película? Siempre me lo he preguntado. Gerónimo y el embajador hablan como entes libres. Nacer en cautiverio tiene una gestualidad puntual. Nacer en libertad te regala una soltura, un saber estar sin reservas o ansiedades.

La entrevista se demora. El embajador, de vez en vez, mira de reojo la situación. La cónsul se regodea, ha detectado mi debilidad por los interrogatorios y saborea torturarme.

–¿Cuántas veces ha estado en México? ¿Cuántos ejemplares ha vendido allí? ¿Qué ciudades ha visitado? ¿Tiene usted familia en los Estados Unidos? ¿Dónde conoció a Gerónimo? –dice la cónsul sabiendo que mi carta y yo mentimos.

–En la puerta de mi casa –dije soltando, por primera vez, toda la verdad.

–¿A qué vino él a Cuba?

Y he aquí la típica situación en la que mi propia paranoia se revuelve, en la que todo me deja de importar. Me levanté de la silla dispuesta a tomar la puerta sin haber conseguido mi salida al mar. Es justo éste el punto donde no puedes aceptar nada más, el punto muerto en el que ya no logras detectar si el cuerpo diplomático está al servicio de la Seguridad del Estado o si esta mujer sólo quiere conocer un típico chisme de prensa rosa.

–¡Otorgada la visa! –dice en voz alta mientras saluda al embajador con un guiño de ojos. Gerónimo pasa y le da la mano, ella inclina su rostro y le roba un beso, luego una foto, y con la foto el alma.

Salimos de la embajada en silencio. Una queja más y Gerónimo saldrá corriendo.

Estoy presa, estoy completamente presa, mi libertad siempre depende de tantas circunstancias, personas, cargos, instituciones, ánimos y voluntades políticas, que aun con una visa me cuesta creer que en una semana podré, por fin, salir de aquí nuevamente. Esta vez con Gerónimo.

IX

Sobre mi escritorio, ese que ha sido por décadas el despacho de mis padres, almatroste oscuro de aspecto horrible, parte esencial del llamado «remordimiento español», esa dosis de mal gusto que heredamos generaciones de cubanos en nuestras casas sin saber a quién pudo encantar un objeto tan lúgubre, sobre el enorme mueble con leones pulidos en las empuñaduras de los brazos y penachos y cascos y rostros de conquistadores con muecas invasivas asaltando nuestro reino; aquí, en este escritorio que definió el condumio interior de los cráneos y sus destinos experimentales asentados en las historias clínicas de los pacientes extintos que analizaban mis padres, justo en este plano horizontal donde me detengo cada mañana a trabajar, deposito los dos poemarios que he recogido en el Instituto del Libro.

No fueron aceptados. ¿Por qué? La censura y el censor poseen en Cuba un maridaje singular. Nadie sabe quién te examina y nadie sabrá nunca por qué ese desconocido te ha censurado. Es una secretaria la que te recibe y regresa el o los originales, mientras habla por teléfono con su hija sobre qué se cocina esta noche en su casa.

¿Te castigan a ti o a tus libros? ¿Son tus ideas o tu actitud lo que censuran? ¿Existe alguien en esa oficina de prohibiciones o es sólo una secretaria la que recibe y regresa libros sin revisar?

¿Eres tú la perseguida o en realidad te están persiguiendo por tus ideas?

¿Cuáles ideas? Tengo muchas ideas sobre cada asunto. ¿Es la poesía un verdadero peligro para este país? ¿No te estarás persiguiendo tú misma?

Lo que mata a los autores censurados, expatriados o condenados al ostracismo es la autofagia. Muchos se quedan atrapados entre la envidia política y la envidia literaria. Hay que aprender a sobrevolar el mapa literario y político de un país y sanear tu mente para escribir sin miedo, pero eso sólo se logra trabajando.

¿Cómo uno sabe que ha sido oficialmente censurado?

Los autores que no vemos publicadas nuestras obras a tiempo en nuestros países de origen, los autores que somos apartados del proceso cultural de los países donde nacimos, terminamos hablando con y de nosotros mismos, haciendo protagonistas a nuestros verdugos, terminamos lacrados como una caja fuerte, peleando con enemigos invisibles, escribiendo de esto mismo en todas las novelas, terminamos trabados en el elevador del miedo, rompiendo con todo lo que nos comunicaba con otra realidad, la del resto de los mortales. Monotemáticos y neuróticos, los autores cubanos nos enloquecemos o enfermamos de padecimientos irreversibles. Perdemos el eje. Nos perdemos, nos rendimos, nos vence la mediocridad, el terror y, sobre todo, la enfermedad de Cuba.

Sobre el laboratorio conceptual de mis padres abro el cráneo del censor y, como en *Viaje fantástico*, entro en su cerebro de militar desplazado, palpitan en su silla turca las sospechas que sólo él puede advertir. Poco a poco mis imágenes van cercando su cabeza como una plaza sitiada. Tal vez mi genética contamine también su diagnóstico, y en la prescripción facultativa están las armas químicas para enmudecerme.

Una década más tarde, tal vez dos, ante otro panorama de censura, cuando haya envejecido mi discurso para esta administración de militares trasladados a la cultura, podré publicar mis versos. Por el momento, silencio y miedo.

Como en un museo, reposan sobre el escritorio de mis padres dos poemarios traducidos a varias lenguas... menos al cubano.

La censura no existe mi amor, la censura no existe mi, la censura no existe, la censura no, la censura, la... shhhhh.

Con los equipos que trajo Gerónimo para las entrevistas que no ha podido organizar por no encontrar los testigos correctos de su historia, con algunos que tenía en casa, míos o de mis padres, rusos o alemanes democráticos, e incluso con dos que me ha regalado Alberto, hemos armado en la sala de la casa una instalación.

Del cielo cuelgan las voces de poetas, autores cubanos prohibidos leyendo sus propias novelas o poemas censurados. En el centro de la instalación mi voz lee los dos poemarios prohibidos o simplemente ignorados por el Instituto. Quince audífonos se mecen desde arriba. Las voces se activan cuando tocas el aparato y te detienes a escuchar.

No están todos los autores censurados, pero puedes escuchar a Arenas, Cabrera Infante, Padilla, Lezama en su etapa de crudo mutismo; puedes, también, escuchar voces que parecen conocidas pero que nunca pudieron serlo a causa de la censura. También Gerónimo ha leído textos en inglés de estos autores, su voz es profunda, dolorosa, sentir eso desde otro ángulo resulta sobrecogedor.

A cualquier hora nos tocan a la puerta para escuchar las voces. De madrugada suena el timbre, algunos jóvenes desean escuchar las palabras prohibidas. Como la exposición particular se llama «Censura» abrimos la puerta a la hora que sea para no «censurar» la escucha. Los cables se mueven como péndulos que desean ser atrapados para gritar su verdad. Debajo de los audífonos alguien atrapa la idea.

¿Hasta cuándo esta instalación tendrá sentido en esta sala, en esta ciudad, en esta isla, en mí?

En la sala, un zunzuneo de voces invade el silencio. El murmullo de palabras recuerda un mantra que desvía la censura y se escucha desde la calle. Una pequeña cola de jóvenes amontonados es desplazada por el policía del barrio, por eso es preferible venir de noche, cuando el silencio deja escuchar con nitidez y sin reprensión las voces de los poetas perdidos.

X

Vale la pena pasar por el mal rato de ser revisada y cuestionada por los funcionarios que custodian el aeropuerto José Martí de La Habana. Valdrá siempre la pena sentir esos ojos revisando tu vida y unas manos ajenas hundirse en tu equipaje o en tu cuerpo. Vale la pena explicarte ante una cámara o un militar que no comprende, que no puede deslindar entre la regla y la excepción. Vale la pena todo, absolutamente todo, para salir a respirar un rato.

Cuando viajo innovo figuraciones de libertad. Simulacros de ciudadana del mundo. Me maquillo de mujer común, me pierdo entre la gente e intento ser feliz. Cruzo las calles y hablo de cualquier tema mientras pienso que la vida puede ser también eso, dejar de ser personaje para convertirme en persona. Sí, parezco una mujer libre, pero no lo soy, porque La Habana me espera.

En mis viajes vuelvo a tener acceso a Internet, regreso a hablar mis verdades en un tono normal de

126

voz, puedo, incluso, gritar lo que creo... Sí, vale la pena una hora de escrutinio para, al fin, volar libre un rato, sólo un rato; porque lo sé, lo sabemos todos, yo nací en cautiverio y, al parecer, ya no sabré envejecer de otro modo. La boca tapada y la angustia saltando mis lágrimas sobre el plato de comida inventada.

Pasarán dos generaciones, tal vez tres, y los cubanos seguiremos vigilantes.

Vale la pena una hora de control si, al cerrar las puertas del avión, te das el lujo de ser libre por cuarenta y cinco días fuera de la isla y su neurosis.

A veces, también en el aire, siento miedo de que el avión regrese a tierra, aterrice y taxee por la pista ante el pelotón marcial de hombres uniformados sólo para dejarme allí.

Autorreferente delirante, así me siento.

Pero conoceré a García Márquez, miraré sus ojos, sus manos, podré leerlo de otro modo, entenderé tal vez por qué he decidido escribir, a pesar de que, al hacerlo, la soledad me incline a una peculiar zozobra, la de sentir que la página no me obedece y se resiste a conservar mis textos porque, al dibujarlos sobre el papel, la tinta los envenena, los devora. Conoceré a García Márquez... El avión ha levantado vuelo, tomo la mano de Gerónimo, Cuba parece tan pequeña allá abajo y es tan enorme dentro de mí..., mis problemas me persiguen a donde voy, como un sombrero viajan conmigo adornando mi cabeza, la coronan.

Había olvidado que llegar a aquí me produce un placer intenso. México te mantiene despierto, nervioso, como un animal nocturno en plena selva; el estímulo es el propio peligro y los riesgos que van apareciendo a medida que intervienes la ciudad afinan tu instinto. Los olores más salvajes y los sabores más agudos asaltan tus sentidos.

No hay nada que se pueda hacer para aliviar el sentimiento de inseguridad que me produce transitarla, porque en mi cuerpo aún guardo el extraño dolor del secuestro, nunca más caminaré por esta ciudad sin sentir la fragilidad de estar vivo. México me duele y México me seduce.

En esa pasarela de riesgo me conduzco. Comprendo que estoy entrenada para sobrevivir en cualquier parte, pero el peligro del DF desencadena la inquietud de quien huele la pólvora y se mantiene activo en la adrenalina del perpetuo combate. ¿En esta ciudad aún vivirán Enzo y sus amigos? No lo sé. Es la misma ciudad, pero ahora la percibo de otro modo.

Sólo al llegar al aeropuerto recuerdo que Gerónimo es un actor famoso. En mi país esas cosas apenas se sienten, la gente pasa a su lado con naturalidad. ¿A quién le interesa un actor de Hollywood ante la faena diaria de la supervivencia?

Apenas podemos salir de un espacio para entrar en otro sin que él sea advertido, fotografiado, abrazado. Autógrafos y *selfies*.

Una enorme camioneta blindada nos traslada por las carreteras grises de esta enorme ciudad que siempre me parece desconocer. En la radio alguien pide «Miénteme más, que me hace tu maldad feliz».

Luego, subir al Saint Regis y ver cómo enmudece el peligro en la altura. La ciudad silente parece estar amordazada allá abajo, pero el riesgo late, late entre el tráfico, la humareda y el miedo al gris.

Gerónimo odia encender la televisión y detesta los noticieros; después de tantas personas reclamándole, valora y reverencia el silencio. Le encanta escucharme cantar antiguas canciones cubanas, danzones y bolerones desconocidos, pero hoy yo sólo hago silencio.

Entro a la ducha para sacar el calor de Cuba. El sudor y los olores del trópico descienden de mi cuerpo como maquillaje rancio. A la salida del baño veo a Gerónimo tendido sobre las sábanas blancas de seda, su cuerpo desnudo es tan perfecto que siento no merecerlo. Su sexo ha sido diseñado para mi boca y su boca destila una lujuria que mi sexo desea.

Beso su cuerpo en el profundo silencio de la noche, se inflama y tiembla, crece, me envenena de placer, moja mi cuello, mis muslos gotean, ahora lo envisto como una guerrera enfurecida de rabia, avanzo sobre él, sobrevuelo la ciudad en peligro, no me importa romper el cristal, salto sobre el miedo, aprisiono su sexo con el mío, hinca la aguda sensación de dolor con que pronuncia el placer dentro de mí; parece dormido, pero nada en él reposa. Salto, salto y me estremezco. Gerónimo me tira contra la lona en un traicionero giro, me ensarta, me mata de dolor controlando la tensión con tres golpes fuertes en mi matriz; un trance entrecortado y frenético lo sujeta desde mi centro castigándolo en una contagiosa ruta irreversible que ingenia un viaje sin regreso; acorralados de placer, asfixiados, viajamos de su interior al mío, de su límite al mío, sin más salida que estallar. Dos gritos revientan en la silenciosa nocturnidad. Dos enormes chillidos nos devastan sobre las sábanas del enorme campo de batalla que es la cama salpicada de ardor.

Tocan a la puerta. La seguridad del hotel teme lo peor. Estoy viviendo lo mejor de mi cuerpo derramado en el suyo.

Abrimos la puerta desnudos, el camarero se sonroja, estamos en México, aquí hay normas aun ante el peligro y el riesgo. Pedimos disculpas por los gritos y algo ligero de cenar.

Silencio, besos, mimos... Citamos La Habana como algo lejano y exótico, lo exótico que diez horas atrás nos era cotidiano, fantaseamos con estar en dos ciudades a un mismo tiempo mientras mi lengua rescata un poco de su unto, que es también el mío.

Intentamos alcanzar la calle Fuego pero la policía nos detuvo. El taxi nos abandonó a la entrada de Jardines del Pedregal, no hay paso más allá de la bocacalle. Un oficial reconoce a Gerónimo y le dice al resto que estamos ante ¿el hombre araña? No recuerdo que hiciera ese personaje, pero, en fin, es el código que nos permite atravesar el cordón. Sólo unos autógrafos, dos o tres fotos y ya, el paso ha sido abierto para nosotros.

La cita está prevista más o menos a esta hora, oscurece. ¿Va a llover o se hace de noche? Algo ocurre, un silencio molesto rebota en el laberinto de casas que parecen deshabitadas. Tal vez sea normal la espesa soledad del barrio.

Dudo que García Márquez quisiera escribir sobre este tema, sobre este hombre que no logro entender, creo que allí no encontraremos nada, pero allá vamos, emocionados.

Gerónimo cree que la reconstrucción de mi presunto padre daría una excelente primera novela, me pide que lo piense, no tengo que dejar la poesía, sólo escribir ambos géneros y, por supuesto, el guión para el que ahora investigamos. Cuando Gerónimo se entusiasma con un tema continúa hablando en inglés, yo no entiendo su otra lengua y entonces dejo de escucharlo, una música intermedia entre nosotros.

Le prometo que escribiré esa novela, sobre todo por la emoción que me causa pensar que, en apenas unos segundos, tendré delante a García Márquez.

—Llámale Gabo —dijo Gerónimo, entusiasmado—. A él le gusta que le digan así.

—Le llamaré Gabo —dije vibrando como un instrumento acústico que desea ser tocado de una buena vez.

Nos detuvimos para besarnos suavemente, como si las caricias bajo los árboles florecidos en abril formaran parte de la propia suerte del ritual que nos espera al final de la calle. El barrio es muy gracioso, femenino y antojadizo en su paso de enredaderas y tejados.

—¿Conoceremos a Mercedes? —pregunté curiosa.

131

–Claro que te presentaré a Mercedes. Te encantará. Es enigmática y aguda. Sin Mercedes no hay reunión. Nos dieron cita para dentro de cuarenta minutos, vamos a llegar demasiado temprano.

–¿Cuántas cuadras quedan?

–Caminando hacia abajo como cuatro o cinco curvas más.

–¿Qué fue lo primero que leíste de él?

–*Cien años...*, claro. ¿Y tú?

–Un cuento que se llama «Ojos de perro azul», y luego no paré de leerlo. Tenía catorce años y me escapaba de la escuela a la biblioteca de la Casa de las Américas para devorarlo todo. *Cien años de soledad* me hizo poeta, porque eso es poesía...

Poco a poco las voces despertaban nuestra curiosidad, algo pasaba más allá de la última curva. Dos motos con cámaras avanzaban entre nosotros, separándonos, gritos, una ambulancia a lo lejos, reporteros, más cámaras, la situación era incomprensible. Poco a poco nos acercamos a lo desconocido, que, de algún modo y desde lejos, parecía fatal. Caminamos veinte metros tal vez para darnos cuenta de que...

La ambulancia esperaba frente a la puerta mientras más de trescientas personas registraban el momento en que una camilla debidamente tapada ingresaba al interior del vehículo.

Los periodistas gritaban y las cámaras no paraban de flashear. Una hermosa mujer con cara compungida reportaba, en medio del bullicio, la muerte de Gabriel García Márquez, mientras Gerónimo se perdía asustado en dirección contraria al mar de reporteros.

Otra vez alguien me abandonaba, se desembarazaba de mí en la demencia de una situación crítica y anómala, me dejaban sola en una marisma de dolor y confusión. Era la muerte otra vez.

Mi corazón hizo un alto ante el portón colonial de Fuego, 144, y me dije: siempre llego tarde a lo que me fascina... Abrí la jaula de mi cuerpo dejando salir mis angustias como mariposas amarillas.

Éste es el fin de la fábula que me conecta con mis padres.

Crucé la calle perdida en una emoción incomprensible y me extravié en los interminables pasadizos de Fuego.

XI

La historia no es lo que uno desea contar, es
lo que ella misma te dicta al revelarse.

Desde la pantalla observo un lento paneo por un
inmenso y grisáceo campo de arroz. El paisaje cena-
goso reverbera en el lente delatando un equilibrio japonés contaminado de sol y cielo incendiado.

Cada día Gerónimo y yo nos levantábamos antes
del amanecer para encontrarnos con viejos militares
retirados, excombatientes de la generación de Mauricio, que tal vez pudieron conocerlo.

Dejé de ir a esos encuentros, casi interrogatorios,
porque sus voces y su tono me recordaban lo peor del
cine cubano. Había un tono falso e hiperrealista en
todo aquello.

La realidad los asfixió y nunca sabes si la mentira
es su modo de respirar, de aligerarse y volar a un espacio muy distante del propio.

Nos dividimos el trabajo. Gerónimo lleva a casa las imágenes, las descarga en su computadora, en la memoria y en mi laptop para intentar que no se pierdan en caso de otro registro. Yo reviso los diálogos, agrego el *time code* y me espanto. Siento como si los testimonios contaminaran la poca poesía que he logrado recuperar y conservar.

Toco el cristal para quitar una mancha, limpio la imagen con un paño. Divagan. Pestañean nerviosos. ¿Mienten? Sí, muchos mienten. ¿Sus conciencias reposarán en paz? ¿Creen que hicieron lo correcto? ¿Lo hubiesen hecho de otra manera? ¿Lo harían otra vez?

Existe una dramaturgia común en todos estos encuentros.

Al inicio del diálogo se sienten héroes invictos, y, a la vez, casi santos de lo que nosotros deberíamos contar en dramáticos pasajes.

Poco a poco, cuando el ron les invade, aparece flotando una desagradable nata de anécdotas vedadas. Una profunda mueca, un rictus de dolor, llena la pantalla. Ahí están las delaciones, las torturas, los fusilamientos y traiciones con los que, en su generalidad –hoy dicen–, ninguno parecía estar de acuerdo. Lo cierto es que ellos también han sido partícipes y la mayor prueba son las heridas de guerra tatuadas en sus cuerpos. El temblor de sus manos. El dolor en el fondo de sus ojos.

La última entrevista fue en una vaquería. ¿A cuántos cristianos habrá liquidado este militar?, pensaba deteniendo la imagen, examinándolo, tratando de descubrir su parte lírica, la que todos ellos se es-

135

forzaban en revelar casi al final de la entrevista, mostrando sus fotos con los nietos, sus poemas escritos en el Congo, las cartas a la amante saliendo de Colombia con una buena carga de merca en un velero con desperfectos en el motor, a la deriva de todo, con el sobrenombre de El Quijote, sin comunicación con La Habana, «que nunca supo nada», y sin más brújula o norte que la de ser un sobreviviente a prueba de balas. Al verlo llorar recordando con nostalgia sus «aventuras», citadas por Régis Debray en ciertos artículos –que también muestra con orgullo–, regodeándose en la tristeza y viajando en círculos sobre una ruta movediza de épicas debilidades, exhibiendo cicatrices como medallas, citando los días de guerrilla, desembarco y triunfo, pienso que no quiero tener un padre así.

Habla Manuel, alias el Chigüín:

El Chigüín: *Yo me considero un guerrero, el alma del guerrero se representa en varias culturas con una mariposa. Tomaba agua de los charcos en África para que los parásitos me curtieran y así andar ligero por las trincheras. (...) El día que incendié un velero saliendo de Buenaventura, yo no sabía que la tormenta me tiraría para la orilla. Si no lo incendio, me incendian.*

Es pequeño y aparentemente inofensivo. Habla con gran orgullo de su época de «Rambo cubano». Un dato curioso es advertir que en estas entrevistas nadie confiesa quién les daba órdenes. ¿Las misiones salían de la nada? Desembarcar, liquidar, atacar, sustraer, trasladar o zapar zonas, rescatar personas, materiales. Ni borrachos estos seres establecen una jerarquía que te haga concluir de dónde les fue enviado el mandato divino.

Gerónimo: *Y usted, Chigüín, ¿no teme hablar? ¿No teme que por contar todo esto se filtre la información y usted sea requerido o condenado en un tribunal militar?*

El Chigüín: *Primero, alguien que me hace esa pregunta sería incapaz de delatarme. Yo te seleccioné a ti porque tienes ética, pareces una persona firme, que no se deja amedrentar con nada, y eso... eso sólo se descubre, se aprende, se entrena en otro tipo de batalla..., cuando uno ha sido agente de la Inteligencia.*

Pasaba la madrugada marcando con códigos el enorme repertorio de personalidades y vidas clandestinas. Necesitábamos con urgencia que emergiera de ellos otro rostro, el de Mauricio Rodríguez.

Yo me negaba a acompañar a Gerónimo porque nunca me he llevado bien con el mundo de los militares. Los soldados, los policías, los agentes, todo eso me causa una profunda depresión. Solucionar la vida con la muerte me parece un crimen. No sé relacionarme con la mitomanía de estas personas.

Al ser negada la entrada al archivo histórico, este tipo de seres cobran gran protagonismo, y la historia que contamos se empieza a parecer a lo que ellos hubiesen querido ser, no a lo que fueron.

El Chigüín: *¿Qué puede esperarme? ¿La muerte? Sí, si se jugó en ese rol. Yo también fusilé, y si se presenta, si hay agravio, seguiría fusilando. Estoy buscando a alguien*

137

que me mate (carcajadas). *No quiero morir de cáncer, ése no es final para mí* (sonrisa nerviosa). (...) *Por ejemplo, la experiencia con Mauricio Rodríguez, aquí todo el mundo lo sabe, pero pocos tienen los cojones para decirlo, yo estaba en ese paredón... Mauricio se quitó el Rolex y se lo entregó al oficial que lo condujo hasta allí.*

¡Ay, por Dios! Gerónimo no me había dicho que por fin había aparecido Mauricio en la conversación. Me asusté tanto que apreté un botón y apagué la computadora. Era extraño verlo aparecer en medio de ese lúgubre bosque que me enredaba hasta asfixiarme.

Intenté retomar la entrevista y marcarla, pero empecé a marearme. Todo aquello me arrojaba a una realidad tan dura que, como mis padres, necesitaba apartarla, recortarla, censurarla, sacarla de mí.

Lo intenté, respiré profundo y volví al momento en que Mauricio aparecía.

El Chigüín: *Mauricio se quitó el Rolex y se lo entregó a la oficial que lo condujo hasta allí... El Macho, así le pusimos nosotros en la Sierra porque era un niño cuando subió, pero tenía un alma de hombre, de macho cabrío. El Macho se quitó el reloj que le había regalado el mismísimo Comandante en Jefe, se lo dio al Turco, y, como había pedido desde que estaba en la celda, él mismitico dirigió su fusilamiento. Eso lo vi yo con estos ojos que se va a tragar la tierra. Ahí sí hay un par de timbales, mi hermanito... ¡Preparen, apunten, fuego! Y se nos fue.*

Gerónimo: *Yo pensé que Mauricio Rodríguez era una leyenda popular.*

138

El Chigüín: *Leyenda popular era el Che. El Macho era de los hombres que estaban ahí para que el Che fuera una leyenda popular, y digo el Che porque es el extranjero, pero pudiera decirte unos cuantos nombrecitos más. Caballero, métanse en la cabeza que para que exista un héroe y un mártir y un símbolo tiene que existir un Macho apuntalándolo. ¡Los milagros no existen! La guerra no es un librito de Historia. Cada vez que yo veo a los chiquillos cantando rock en los conciertos con el Che en la ropa me dan unas ganas de...*

No pude más, me puse un vestido, tomé la cartera, abrí la puerta de la casa y salí a caminar. Debía valorar si quería trabajar en una historia como ésta. Me sentía sucia, contaminada de asuntos que no se me parecían. ¿Pero por qué estoy metida en esto?

Mi cabeza ha peleado mucho estos meses con la idea de que otra persona fuera mi padre.

Mi mente huye, escapa, se niega a bañarse con todos estos baldes de sangre. Una sangre ajena pretende apoderarse de mis genes.

¿Será por todo esto por lo que mi madre decidió no hacerme partícipe?

No puedo, yo no puedo con esto, dije caminando por El Vedado, tomando aire y orientándome por los rumbos de siempre, laberínticos pasajes domésticos que sólo me llevan a mí, a la Cleo que he sido, la misma de siempre.

Al fin de la madrugada, con un son colado en mis sentidos y unas maracas rajándome la sien, de regreso a mi largo paseo por los jardines vacíos y pardos del Hotel Nacional, con mucho ron en mi cuerpo ver

139

durante horas cómo el agua acariciaba, lamía y se tragaba la ciudad al final de una primavera imperceptible, asediada por mis propias aprensiones, a las cuatro y treinta de la madrugada, cuando uno no sabe si está por dormir o apenas se levanta, atravesé mi pequeño jardín y me derrumbé en el sillón colonial de la entrada.

Ni dormida ni despierta, entre evaporaciones de jazmín, en el mismo letargo donde sobreviene la poesía, saboreaba la sal de la bahía en mis labios, reproduciendo el paisaje japonés de agua y tinta china, plumilla triste y gastada, panorama húmedo de aquella vaquería donde Gerónimo había filmado.

Cuando abrí los ojos ya el sol estaba afuera. Éste era un amanecer propio, mi sentido de pertenencia lo reconocía y se responsabilizaba con la cadena de estímulos inconscientes y sentimentales que brotaban a chorros en el diminuto puente que viaja del sueño a la realidad. Éstos son mis pájaros, los que hacen nido en el tejadillo criollo del portal. Un poco más allá se me presentan, como todos los días, los gallos de mis vecinos. Éstos son mis olores, mis ruidos, y, sin abrir los ojos, mis dedos pueden reconocer las cicatrices del sillón donde mi madre me dormía en los veranos de apagón.

Mis temores existen a escala de lo que puedo soportar, mis aprensiones son consecuencia de batallas que yo he podido o debido librar a mi altura, lo que no puedo enfrentar es un miedo mayor al de mi gallardía. Ésa es la diferencia entre una artista y una heroína.

140

¿Realmente quiero embarrarme de todo ese fango?, me pregunté desde el fondo de la pesadilla, y como respuesta recibí el sabor dulce salado del café con leche de Márgara, que había entrado despacito, tratando de no despertarme. Vino a salvarme de todo este extrañamiento que me encarna dormida y despierta.

XII

Bajo mi cuerpo conviven formas reservadas del resguardo. Sayuelas, encajes, velos, piel de cebolla y cáscaras para guardar el alma; medias transparentes, capas de seda interior cuidan a esta hembra que se fuga y viaja, se extravía y suele emerger del profundo bosque exterior que la intimida.

Secretos y comentarios apócrifos se asientan en el árbol de mi cuerpo, que es un mapa y un dibujo vital para el recorrido lúcido, ese que transita del sentimiento a la acción y me posee.

Bajo mis piernas, exactamente entre mi vientre y tus ojos, entre la risa y el deseo, entre el olor y el sabor de ambos convive el espíritu de esta mujer ungida en tus aceites, esa que ahora se te presenta tal cual y te posee desnuda, descarnada y sin más palabras que su sexo.

Cuando no podemos hablar, cuando decirlo todo cuesta el doble, cuando aparecen diferencias en el lenguaje o en el modo de sentir o pensar, soltamos los cuerpos y rompemos juntos los resguardos, se incendian los círculos de cuidado que antes nos protegían. En ese peligro delicioso y descarnado, en esa contaminación de rabia y dolor radica el legítimo deseo.

¡Shhhhhhh!

Pasamos la mañana en la cama, él me había esperado toda la noche, yo no podía recuperarme del desvelo de esta madrugada. Hacíamos el amor, dormitábamos, una palabra apenas, luego el sueño, el día entraba por las rendijas, yo intentaba sobreponerme pero el cansancio me tiraba en el colchón hasta rendirme.

Quería contarle a Gerónimo que no volvería a su proyecto. ¿Dónde está la poeta, la ensayista, la autora que hay en mí?

Quería explicarle que seguir la ruta de esos guerreros terminaría arrojándome a su propio estiércol y no puedo permitirme ese lujo. Estoy sola y tengo la responsabilidad de guiarme. Mi fuerza es estar sola, guiarme yo; ser mi propia vigilante me mantiene firme.

Este proyecto, irremediablemente, no es para mí. No puedo con él, me sobrepasa.

Cerraba los ojos ensayando los mil modos de convencer a Gerónimo, pero ni una palabra salía de mi boca, sólo mi sexo corría a su sexo, acorralándolo con barbarie y sin explicación.

Márgara nos trajo el almuerzo a la cama: quimbombó con pollo, bolitas de plátano maduro y maíz, arroz blanco y boniato frito. Hicimos nuestro nido en la transparencia interior del mosquitero.

143

—A ver, levántense para arreglar las sábanas, parecen dos niños en una cuna —dijo Márgara sacudiendo y tendiendo un poco la cama.

Al atardecer ya sabía que Gerónimo se había pasado la mayor o la mejor parte de su infancia sin padres, primero murió su madre y luego su papá. Su hermana menor y él terminaron en un programa para niños latinos en proceso de adopción. Después de una larga espera, cuando por fin encontraron un hogar, ya Gerónimo era demasiado grande y deseaba irse a otra parte, solo, a estudiar actuación acompañado de seres que él mismo había elegido en el trayecto.

Esa madrugada supe lo que era estar a la deriva. La infancia es la estación más solitaria e injusta del mundo, todos disponen, gobiernan e intervienen en el argumento de tu existencia.

Yo deseé siempre salir pronto de la infancia, pero como castigo sigo aquí, anclada, haciéndome preguntas sobre ella.

Estoy acorralada, llena de dudas, no quiero pensar que mi madre traicionó mi confianza, mi integridad.

Si yo compruebo que no soy hija de quien he pensado ser todos estos años, si yo compruebo que mi madre prefirió hacer un espeso silencio político a decirme la verdad, si descubro que esta pesadilla es verídica, entonces tendré que volver a empezar como hizo Gerónimo.

—¿Tú escribías cuando tus padres estaban vivos?

—No tan seriamente. No era tan consciente de que esto era todo lo que quería hacer.

–Entonces ya te has convertido en otra cosa. Desde que ellos se fueron tú te convertiste en una autora. Piensa todo lo que viviste desde entonces.

–Los padres son finitos y humanos, cometen errores. Nos dicen que estarán ahí toda la vida, pero no logran sostener su palabra infinitamente. Se nos van. Me siento extraña desde que ellos se fueron, hay cosas que no entiendo de esa muerte.

–¿Por qué no vas a terapia? Aquí debe haber buenos terapeutas.

–Sí, esos que cuando los aprietan sueltan todo lo que estás pensando. Así pasa con los babalawos, todo lo que tú les confiesas termina en manos de quienes menos te imaginas. Yo no puedo darme ese lujo.

–¿Alguna vez supiste que tu familia escondía algo?

–Nunca. Pero ahora entiendo por qué el pasado era un punto de no retorno en esta casa. Algo de lo que no se hablaba y algo de lo que nos escondimos todo el tiempo. Siempre he pensado que aludir al pasado es tabú. No le pregunto a nadie sobre su familia, porque me educaron en la creencia de que indagar sobre eso era de mal gusto. Ahora creo entender ciertas cosas. Sólo falta confirmarlas.

Me había prometido no asomar mi nariz por la investigación. Le pedí a Gerónimo que me liberara de todo aquello, abortar la idea de encontrar el personaje y escribir sobre él.

Sabía que eso nos iba a separar, sabía que el paso de Gerónimo por mi vida se basaba, únicamente, en encontrar a mi supuesto padre. Él es un hombre práctico que se va transformando según sus papeles, y entonces su rol de director era lo único verdaderamente importante. Yo era parte de ese todo.

Me costó horas explicarle y me llevaría más y más tiempo convencerlo, porque nadie puede entender, como yo, lo que me daña registrar, meter la mano en el cajón de mis padres; ese mundo es de una oscuridad tan sórdida que me traga y no tengo anticuerpos para protegerme.

Para seguir con el pasado, Gerónimo accedió a mostrarme fragmentos de películas suyas que yo no había visto. Sacó de su memoria tres filmes que a él le han parecido excepcionales dentro de su carrera. Por una de esas actuaciones le dieron un Oscar. Gerónimo se quedó dormido al final de la tercera, que yo quise ver completa porque me entusiasmó el tema del sandinismo. Mientras le miraba dormir sentía que el actor era otra persona. Acomodé su pelo, besé su cuello y lo destapé poco a poco revisando su estupendo cuerpo desnudo.

No, no parecía ser el mismo. El común de los mortales reposaba aferrado a mis muslos, mientras, en la pantalla, el hombre más hermoso del mundo gritaba, se drogaba y padecía en primer plano, me ponía a llorar, lograba desesperarme sin poder hacer nada.

Cuando terminé de ver la última secuencia de la tercera película, afectada por el efecto de las imágenes, me convertí en mujercita promedio y le hice el amor a hurtadillas. Necesitaba que no se despertara porque, esa noche, así dormido, por una única vez, podría poseer al actor y no al hombre.

A las seis de la mañana fuimos avisados de la muerte del Chigüín. Un raro accidente automovilístico acabó con su vida.

Alberto llegó temprano con la noticia, se lo había contado el hijo mayor del veterano que estudió con él su carrera militar en la Unión Soviética.

Desayunamos los tres en silencio, sabiendo que esa muerte no podía ser casual.

Decidí acompañar a Gerónimo porque la noticia lo había trastornado, y es que el Chigüín era su mejor testigo.

Al mediodía llegamos a su casa de Siboney donde, desde temprano, se organizaba una canturía guajira. El Chigüín lo había dejado claro, el día que muriera quería música y nada de llanto ni entierros solemnes.

La casa era muy curiosa, debió ser premio de arquitectura en algún momento. Yo nunca había entrado a una joya constructiva como ésa. Al parecer, sus habitantes nunca percibieron el alma, la personalidad de esa edificación hecha a inicios de los sesenta. ¿Quién sería el arquitecto?

Todo lo que tenía adentro, muebles, adornos, y hasta sus habitantes, contradecía la lírica morfología del lugar: paneles rodantes de vidrio, admirables rampas que conducían a los cuartos, saltos de agua que vuelan del aljibe hasta una pequeña piscina envuelta en cantos rodados o chinas pelonas.

Los niveles de cada salón permanecían debidamente iluminados por claraboyas que permitían la entrada de la luz natural.

Alrededor de todo esto se atiborraron artesanías, fotos coloreadas, carteles políticos, esteras vietnamitas y alfombras con pasajes moriscos que funcionan como cuadros en las pocas paredes sin medios puntos o murales de cerámica vidriada.

Ésta es, sin duda alguna, la verdadera pelea de vínculos espaciales entre dos clases sociales cubanas poseyendo una misma edificación. La burguesía «huyó despavorida» (así nos lo enseñaron a repetir en la escuela), mientras los rebeldes se adueñaron de espacios que, hasta hoy, no han comprendido pero siguieron habitando.

Al menos las áreas visibles no han sido modificadas, se encuentran en muy buen estado. Su esencia amordazada busca la luz, vibra, esplende e intenta recuperar su espíritu elevándose al cielo como las enredaderas que brotan de las columnas laterales.

Quería pensar en todo aquello, pero volvía a mi drama. Me estoy volviendo loca, todo me parece que se trata de mí y de mi problema. En cada mirada, en el gesto, en el saludo de los viejos guerreros yo creía leer: La hija del Espía-La hija de Rodríguez-La hija del traidor-La hija del héroe. La hija del Macho ha llegado. Allí, entre guitarras y tonadas tristes, décimas y lamentos guajiros, creía encontrar yo la respuesta a mi drama.

Sus caras desgastadas, sus arrugas, cicatrices de guerra, sus desencajados rostros descuadernados en una sonrisa triste, dibujados en el resumen de unas dentaduras postizas demasiado grandes e irreales, en unos ojos tristes, muecas cómplices, tics culpables; rostros tranquilos o inquietos. Ahí me percibía yo, padeciéndolos. La ropa civil llevada como militar, los uniformes atiborrados de medallas, los escoltas alertas a que alguien o algo importante pudiese atravesar el umbral.

Alberto se movía en aquella casa como pez en el agua, llevó dos botellas de ron, localizó pequeños vasos en la cocina y comenzó a servir. Atendía a los combatientes, conversaba, abrazaba a todos aquellos veteranos, que, al parecer, conocía muy pero que muy bien.

Le comenté en voz muy baja a Gerónimo, pero él cree que es muy normal.

–Esto es una isla, Cleo. Todo el mundo más o menos se conoce.

–No sabes lo que estás diciendo. Aquí yo no conozco a nadie.

–Pero a lo mejor ellos sí te conocen a ti.

–¿A mí? ¿Por qué a mí?

Salí al patio a respirar, insistía en encontrar la placa del arquitecto, pasé un rato mirando cómo las gallinas ponían sus huevos bajo las enormes empalizadas de maderas preciosas que ostentaba la mansión.

Perderme en los patios, desde niña, resulta para mí un gran placer. Recogí cuadraditos de cerámica azul dispersos y sepultados en la tierra, y con ellos armé un rompecabezas que recordaba el antojadizo juego empedrado del cielo alargado sobre los estanques circulares donde se zambullían las gallinas pintas y los patos criollos. Una bandada de ocas escandalizaba en el traspatio, y un enorme pavo real deambulaba suavemente por los aleros del antiguo cuarto de criados.

A lo lejos sentí la voz de Alberto que me llamaba nervioso. A esas alturas del paseo ya yo estaba debajo del suelo de la casa, que, en sus caprichosos niveles, terminaba graciosamente elevado en pilotes repletos de caracoles, bejucos y lagartos verdes.

–¡Cleo! Cleo, ¿dónde andas? ¡Ven, que te quiero presentar a alguien!

–Estoy aquí –dije desde el húmedo fondo.

–Aquí dónde.

–En el suelo...

Alberto bajó desorientado por las lajas en forma de peldaños y me encontró, debajo de la casa, recogiendo polimitas de todos los colores.

–Corre, ven conmigo –dijo como un niño que se propone hacer una maldad.

Entramos por la puerta de servicio; en la cocina los repentistas afinaban las guitarras, y en la sala un decimista que suele salir por la televisión rimaba *revolución* con *son* y *corazón*, *tristeza* con *firmeza* y *muerte* con *suerte*. Las guitarras coqueteaban tristes con la voz y el gemido del poeta, y yo sólo me dejaba ir, volar como una cinta suelta en las manos de Alberto.

–¿Y esta niña quién es? –preguntó la viuda, muy derecha, al lado de la caja.

–Ella es Cleo, la muchacha que estaba ayudando a entrevistar a su esposo, ¿recuerda? –insistió Alberto, pero la viuda estaba confundida.

150

La hija de la señora se incorporó:

–Mamá, ella es la novia del actor americano –dijo alzando bien la voz para ser escuchada–. Albertico nos acaba de explicar que ella es la muchachita que tuvo... Ella es la hija de Aurorita Mirabal, la doctora.

–¿Quién?

–La doctora, la que nos enseñó a Chacho y a mí a nadar en Varadero, la de la casa grande de madera frente al agua...

–Ah, ya, ya –dijo la anciana–. ¿Y a ella por fin le dijeron que era la hija del Macho? Tu padre era muy buen mozo y cuando tu madre...

–¡Mamáaaa! –gritó la hija.

Una enorme bandera cubana cubría el féretro sellado, y, tras estos chillidos, un silencio rígido, forzado, copado de murmullos y toses, lamentos y música venida desde la sala atravesaban el dramático rincón rodeado de flores donde acomodaron al muerto.

Sentía mi cuerpo como algo ajeno, no me obedecía, quería tomar el control y respirar tranquila, pero las piernas me temblaban y las manos apenas podían sostener un vaso de ron que Alberto me alcanzó en la confusión de voces y llanto. Pensé escapar, regresar sola a casa, pero Alberto me hacía señas para que aguantara un poco más.

Gerónimo estaba registrando todo lo que sucedía. Perseguía a quienes entraban y salían del velorio, perseguía cuanto ocurría, no separaba su ojo del lente.

Intenté escurrirme hacia el patio y bajar, bajar al fondo de la casa, pero un pelotón de soldados entró el colchón de flores con un texto que decía: «Al Chigüín, del Comandante en Jefe Fidel Castro Ruz».

El profundo olor de las azucenas, el susurro constante y la mirada triste de los veteranos, algunos ya entrevistados por nosotros, me paralizaron. Estaba a punto de esfumarme cuando se escucharon dos tiros y unos gritos que venían desde el jardín.

–Fuera, fuera de aquí todos. Mi padre no tuvo ningún accidente, lo liquidaron. ¡Basta ya! ¡Salgan de aquí! –dijo en español y en ruso el hijo mayor del Chigüín–. ¡Fuera, fuera todos! Tengan la decencia de irse y déjennos en paz.

El joven militar uniformado entró a la sala descargando su pistola contra un medio punto de cristal. Alberto y yo salimos corriendo, Gerónimo se quedó adentro filmando. Por mucho que lo llamamos él no reaccionaba. Decidí entrar, desafiando el peligro, y arrebatarle la cámara antes de que a uno de los guardias se le ocurriera quitársela. Sólo entonces se dio cuenta de que era el momento de partir. Mientras nos retirábamos vimos cómo un grupo de militares desarmaba y esposaba al muchacho, que gritaba insultos en ruso.

Nos alejamos apretando el paso, aceleramos la salida, avanzamos casi tres cuadras cuando escuchamos un tiro más y unos golpes secos. Con el corazón en la boca buscábamos desesperados un transporte para salir de allí, pero a esas alturas resultaba imposible; las perseguidoras bloquearon la zona impidiendo que entraran o salieran vehículos, mucho menos taxis oficiales o carros de alquiler.

Sólo quedaba caminar, en silencio, rumbo a la Quinta Avenida, rezando por que ocurriera un milagro y no nos quitaran todo lo que Gerónimo había logrado registrar.

XIII

Al anochecer ya estábamos en casa de Alberto, gozando el fruto de su discreta cosecha de marihuana, planta que él mismo cultivaba, distribuida en pequeñas macetas escondidas en el traspatio. Entregados al humo místico, fluimos, porque si no fluimos con el delirio, el delirio nos reduce, nos aniquila y despedaza.

Gerónimo, Alberto y yo, tumbados en la hierba, fumando, riendo despreocupados, expuestos a lo que vendrá, que, ya sabemos, debería ser encontrar y aceptar el pasado que es mi presente.

Gerónimo lanzaba textos de un dibujo animado muy famoso que él había popularizado con su voz. Reíamos a más no poder. Un pulpo perdido en el Caribe, una criatura solitaria con muchas manos tratando de moldear figuras de hielo en el fondo del mar, breves esculturas que, al amanecer, se deshacen con el sol.

En un arrebato de pureza se me ocurrió que podíamos jugar a decir la verdad.

–¿La verdad? ¿Cuál verdad? –preguntó casi consciente Alberto, al que le era casi imposible desconectarse del mundo.

–Decir, por ejemplo, que ésta es mi primera vez fumando hierba –expliqué risueña.

–¡Nooooooooooo! –gritaron los dos a la vez.

–Digo, por ejemplo, que ustedes sospechan de mí. Los quiero ayudar y no se dejan.

–¡La sospecha es una enfermedad! –gritó Alberto con la voz rajada.

–Digo, por ejemplo, que aunque me duela estoy creyendo que soy hija de Mauricio.

–Digo, por ejemplo, que estamos atrapados en este barco donde el único que sabe por dónde vamos eres tú, sabes más de lo que dices pero nos despistas, nos sacas de la buena ruta –siguió Gerónimo.

–Digo que no quieres a Cleo, que sólo estás con ella para tener la historia en tus manos. Digo que ella no es nada para ti. Yo he visto a tus mujeres en la televisión americana –sentenció Alberto entre bostezos.

–Digo que en este país es un delito tener la televisión americana, pero a ti te lo permiten... ¿Por qué? ¡Porque eres informanteeeeeeee! –grité a los cuatro vientos.

–Digo que yo sé que tienes un hermano y sé dónde vive –confesó Alberto.

–Digo que si me das toda esta información es porque «allá arriba» quieren que yo la tenga –contestó Gerónimo tranquilo, en voz baja.

–Digo que ustedes dos hablan de mi vida como si yo estuviera muerta. Se intercambian información como si yo no existiera. Y yo estoy aquí. Ésa es la verdad.

–Digo que por primera vez asumes que ésta es tu otra vida –contestó Alberto, sorprendido.

–Digo que el sábado en la mañana me follé a la negra bodeguera, de pie, en su trastienda destartalada –comentó Gerónimo como para alivianar la tensión.

–Pero no es justo, acordamos «decir la verdad» –protesté.

–Es la verdad –contestó Gerónimo.

–Sincérate, es un bodeguero negro, no una bodeguera negra –corrigió, irónico, Alberto.

Un estallido de risas recorrió nuestros cuerpos hasta entumecernos. Alberto intentó besarme pero yo lo empujé para alcanzar a Gerónimo; fue extraño, sólo por un instante, enajenados, nos besamos los tres.

El hambre, la sensación de voracidad de la hierba, invadía el cuerpo.

Tocaba levantarse para caminar hasta mi casa, allí Márgara dejaba siempre algo preparado para las emergencias. Una fuerza mayor se apoderaba de los tres cuerpos, una autofagia patética nos consumía y era muy difícil levantarnos, desembarazarnos del estupor, romper aquel insólito vínculo entre los tres.

XIV

Donde dice casa debe decir cárcel.

Llegamos a casa y vimos todo abierto, puertas y ventanas. Márgara nos esperaba aún a esas horas, doblada, nerviosa, reclinada en el balance, aguardando en el portal. No la dejaban pasar, querían revisar todo sin testigos. Esta vez el registro se hizo sin mí, pero nos estaban esperando.

Márgara tenía los ojos salidos de las órbitas; hizo un gesto amargo que no comprendí, pero lo enfatizó pidiéndonos, a Gerónimo y a mí, que hiciéramos silencio, y eso hicimos, silencio.

Esta vez sólo quedaban algunos papeles humedecidos y regados por el suelo, porque con todo lo que fuera libros o libretas de notas almacenados en la biblioteca, los closet, los escaparates, las gavetas, las repisas, los revisteros, los basureros o esquineros, habían cargado.

En la casa no quedaban ya muchos documentos, en cada registro perdíamos un grupo de ellos, pero esta vez arrasaron. También se llevaron todas las cámaras, viejos casetes, DVC, rollos fotográficos, las computadoras y los equipos de reproducción de video. Dejaron, eso sí, el libro de cocina escrito por Nitza Villapol, cosa que ellos no saben cuánto les agradezco.

En medio de todos los trastornos, esto era un poco más comprensible, porque esta vez yo sé a quién buscaban. Ellos, como nosotros, también buscaban a Mauricio Rodríguez. Algo tiene ese hombre que no se deja atrapar, no se doblega, aparece y desaparece, se escapa y no hay modo humano de poder hallarlo; ni ellos, ni nosotros.

En menos de quince minutos un nuevo oficial se presentó en la casa y le exigió a Gerónimo, con mucha gentileza, eso sí, que abandonara el país.

–¿Cuándo? –preguntó el actor.

–Inmediatamente. Usted se va hoy en el último vuelo.

–¿Por qué?

–Usted debe saber. No estoy «instruido» para responderle.

Cuando intentamos recoger su ropa y meterla en la maleta, el oficial le invitó, también de modo amable, a abandonar el país sólo con sus documentos y la ropa puesta. Le retiraron la cámara que tenía las imágenes del velorio y también sus efectos personales. Ni máquina de afeitar eléctrica, ni pastilleros, ni su celular. Nada de eso lo acompañaría en su salida del país.

Cuando Gerónimo intentó protestar, el oficial le explicó que todo eso lo hacían por quien era él, pero que si se negaba lo detendrían hasta averiguar ciertas cosas con las que ellos tenían dudas.

–¿Pero detenerme por qué? Yo no he hecho algo ilegal. Si alguien aquí esconde algo son ustedes.

–Bueno, ciudadano, es evidente que usted lo que quiere es ingresar en un centro de detención, tener tiempo para meditar, pensar bien las cosas hasta que pueda comprender nuestro punto. Acompáñeme.

Gerónimo dio un puñetazo en la pared, y fue en ese gesto donde por primera vez vi fundirse, por segundos, al actor y al hombre en el mismo cuerpo.

A medianoche lo vi salir a la calle. No lo esposaron y tampoco lo maltrataron, pero lo expulsaron sin derecho a protestar.

Afuera había un pueblo mirando, nunca me imaginé que la cuadra pudiera estar tan atenta a nuestras vidas.

Escuchaba murmurar su nombre. A cada minuto llegaban más y más personas deseando ver al actor. Qué raro. Siempre que caminaba con él por las calles tenía la sensación de que aquí nadie lo conocía, o que si lo hacían no les importaba demasiado. Nos recuerdo atravesando el boulevard de San Rafael o la calle Neptuno, tomando fotos por La Habana Vieja sin que nadie, excepto los turistas o algunos cubanos más informados, le saludara.

Cuando el carro arrancó sentí ganas de salir tras él. Caminé hasta la acera y, cuando intenté correr hacia él para darle un beso, dos mujeres vestidas de civil, que no conocía, me detuvieron zarandeándome de mala manera hasta inmovilizarme los brazos.

–¡Cuidadito! ¡Caca! –me gritó la más alta.

Márgara las persuadió para que me soltaran y así lo hicieron.

Nadie más hizo nada, los vecinos se retiraron poco a poco y la calle se quedó vacía en segundos; parecía que nada de esto había ocurrido.

Márgara cerró toda la casa, o lo que yo aún insisto en llamar casa. Creo que ya da igual abrir o cerrar, de cualquier modo yo no sé si estoy adentro o afuera. Me abracé a su cuerpo fibroso y firme y me deshice en llanto, hasta que el teléfono empezó a sonar y respondí corriendo pensando que podía ser Gerónimo. Era la prensa internacional, que necesitaba que yo les diera una entrevista, pero, sobre todas las cosas, necesitaban saber dónde estaba el actor. ¿Quién sabe?, dije desconectando el aparato.

Márgara y yo nos tumbamos juntas en el sofá, pero no podíamos dormir. Se levantó y me preparó una tisana; vino muy preocupada, con su seriedad acostumbrada, me pidió que pusiera la mente en blanco y me durmiera.

–¿Cómo se pone la mente en blanco, Márgara?

–Apartando todos esos demonios con los que usted vive, niña.

A las seis de la mañana el sol me despertó con la angustia de un sentimiento incomprensible que, entre sueños, no logras traducir, pero se sostiene y te agobia.

160

Otra vez el sabor salado del café con leche, ese gustillo agridulce se desleía en mi boca.

Otra vez levantar el retablo, sin ser éste el verdadero refugio al que irse a resguardar. Me sentía desnuda y observada en el corazón de mi casa.

Esa mañana, mirando las huellas moradas que dejaron los golpes en mis brazos, la casa deshecha, vacía, y los hermosos árboles del jardín derramarse sobre el portal, recordé la mancha ámbar que dejó la figura de Gerónimo cuando lo condujeron al carro que lo sacaría de aquí. Entonces pensé que tal vez él y todo lo vivido hasta ese día había sido un mal sueño, y que, si lo contaba, pocos me creerían. Hay una gran diferencia entre lo real y lo verosímil.

Cerré los ojos y la mancha ambarina se reproducía ante mí una y otra vez. En esa mancha estaba mi próximo libro.

Entonces recordé un poema de Heberto Padilla que había leído, por primera vez, en Barcelona.

DI LA VERDAD
Di, al menos, tu verdad.
Y después
deja que cualquier cosa ocurra:
que te rompan la página querida,
que te tumben a pedradas la puerta,
que la gente
se amontone delante de tu cuerpo
como si fueras
un prodigio o un muerto.

Dios mío, ese texto vino hacia mí como una flecha, no puedo creer que me lo aprendiera de memoria.

¿Cuánto tiempo hace que no escribo? No tengo computadora, no sé si me la devolverán.

Necesito lápiz y papel. Entré al cuarto y, sobre la cama, Márgara había colocado la computadora pequeña de mi madre, esa que yo pensaba perdida en el primer registro, su inconfundible pluma de fuente, con las iniciales de mi abuelo, una memoria que era de Gerónimo y un cuaderno nuevo. Dentro de él sólo vi escritas tres simples palabras con la letra de Márgara: Escribir y callar.

XV

DAZIBAO
Que las masas populares odien a esta mujer
y los organismos del Estado
rompan por decreto especial sus contactos con ella.
Que pierda a toda prisa su personalidad jurídica
sus derechos ciudadanos
su libreta de abastecimientos y su carnet
    de identidad.
Que el folio y el tomo de su inscripción de nacimiento
sean desaparecidos de los empolvados
cuadernos del Juzgado Municipal.
En este muro la denuncio ante el pueblo
aquí expongo que me dejó una tarde
sin previo aviso sin habla
y sin amor.
En este muro inscribo toda su belleza
y apago, con gesto de suicida, el fulgor de sus ojos
en esta pared suspendo el fuego de su boca
    y de su cuerpo
tiendo sus piernas largas

detengo el movimiento de sus manos de pianista
    adolescente
y grabo el mundo complicado de su cabello.
Aquí la dejo para que la veáis
junto a este reclamo
a este anuncio contra la soledad
a este grave conflicto social que sufro solo
y me convierte, al menos esta noche,
en un hombre peligroso en la ciudad.

Raúl Rivero

No abría la puerta, contestaba bien poco el teléfono. Sólo en los horarios que acordaba con Gerónimo y con mi agente y mis editores.

Escribía como autómata. Hablaba sola y leía en alta voz cada uno de los fragmentos del original de mi novela en proceso.

Borraba lo escrito, rompía papeles con esquemas, volvía al teclado, lloraba, reía, me duchaba, regresaba mojada a la máquina, cenaba sola, me emborrachaba sola. Me sentía sola como una perra abandonada en una carretera.

Así pasé el final del verano y todo el otoño, que aquí es imperceptible.

A veces recibía a dos o tres oficiales que venían a preguntar si estaba dispuesta a colaborar con un informe sobre la investigación que inicié con Gerónimo. Yo me negaba, y eso, lo sé, alargó mi encierro.

Mi única alegría se relacionaba con Márgara, la esperaba ansiosa, por horas, para poder leerle todo lo escrito durante la noche anterior. Dormía de día y escribía de noche.

En cuanto desayunaba, me acostaba y sólo despertaba para almorzar, revisar lo hecho con la cabeza más fresca, confrontar con Márgara las páginas repasadas y despedirme de ella, a veces, hasta el lunes.

Salía poco. Mi viaje semanal era a la oficina de Inmigración, donde solicitaba que se me entregara el pasaporte, pero no recibía respuesta. Necesitaba pedir la visa americana con urgencia para encontrarme con Gerónimo en Los Ángeles. Ya estaban terminando de editar la película, pero las autoridades cubanas me exigían que esperara y que regresara el próximo mes. Las cartas de invitación se vencían y la oficina de Gerónimo se acostumbró a mandar una nueva cada dos meses. Ya a inicios de diciembre yo estaba desesperada.

−¿Qué crees si hablo con Alberto? −le dije a Márgara una tarde, interrumpiendo nuestro lapso de silencio, media hora después de leerle, por cuarta vez, la nueva versión del capítulo final de mi libro.

Alberto había desaparecido de nuestras vidas el mismo día del registro. Pueden ser figuraciones mías, pero creo seriamente que hasta a él lo agarró todo aquello de sorpresa.

Márgara hizo una mueca que parecía desaprobar mi plan, pero yo lo dejé reposar en mi cabeza, lo pensé durante la noche, y al amanecer, justo a las seis, clareando, marqué su número y le pedí que viniera a desayunar.

Parecía derrotado, estaba flaco, barbudo; diría que con cara de anémico. Márgara, como siempre, se transparentó por los pasillos de la casa, y entonces, sin contarle nada de lo que ambos sabíamos, le pedí ayuda.

Se le iluminaron los ojos cuando vio que estaba sola, casi desahuciada socialmente, y que necesitaba de él. Me tomó las manos y prometió, de un modo meloso y casi dramático, ayudarme a salir de aquí.

—¿Cómo? —pregunté, soltando mis manos de las suyas, un poco turbada por su exceso de ternura.

—No lo sé. Ahora tengo que organizarme, ando desconectado de todo. Me sacaron de la Escuela de Cuadros del Partido. Estoy sin trabajo. Apenas tengo para comer.

—Ven a cenar todos los días. Cuando Márgara se va me quedo muy sola.

—¿No estás escribiendo? —indagó mirándome fijamente a los ojos.

—No —dije firme pero empleando mi mejor tono de víctima.

En cuanto cerró la puerta y miré la cara de Márgara sabía lo que sucedería en lo adelante. De cualquier modo ése era el único modo de escapar. Para mí no había otra salida.

—Vaya con cuidado, niña, que ese hombre siempre ha estado detrás de sus huesos.

La marihuana me crea una ilusoria relación con quien la fumo, un nexo demasiado agudo con quien la comparto; mientras me recorre, parecería transformarme en un ser dependiente del resto, un ser que no soy y que no seré nunca. Con la muerte de mis padres apren-

166

dí la inutilidad de las dependencias emocionales. Estamos profundamente solos y yo no soy una excepción.

Nadie nunca, por mucho amor que profese, ha podido cumplir su promesa de estar ahí, eternamente, junto al otro. Ni padres, ni hijos, ni hermanos, ni amantes.

Me niego a crear ligaduras que luego deba disolver. La pasión es el camino recto a esa dependencia. Prefiero establecer relaciones racionales que bordeen la pasión y la superen en un plazo razonable.

Después de tanta concentración y desfile, después de tanto campamento, literas, después de tanto hacinamiento, aquí estoy yo, profundamente sola, pero adicta a encontrar seres con quienes comunicarme y convivir.

Estas últimas tardes espero ansiosa la llegada de Alberto. Llegaron esos pocos días helados en La Habana en los que otro cuerpo cobra la categoría de tesoro.

¿Quién dijo que en La Habana no hay días de un frío insoportable?

La humedad cala tus huesos y se te cuela en el alma, confundiéndote.

Tumbados juntos en el sofá, abrigados y con poca luz en la sala, fumamos y vemos películas alquiladas a videoclubs particulares. Pedimos pizzas y hamburguesas a paladares cercanos, recalentamos la comida de Márgara, compramos cervezas, escuchamos música, bailamos, vaciamos las botellas, que se van acumulando a la entrada del patio.

167

A veces él se duerme y yo lo miro, atravesando la sensación de filtro de luz que crea la hierba en mis ojos. No es hermoso, tampoco feo, es un hombre común, alguien que no parece querer ya nada de la vida. Se deja la barba días y días sin ánimo de lucir mejor, o tal vez, simplemente, por no encontrar con qué afeitarse. Me pregunto cómo se vería Alberto si se arreglara y se alimentara bien. Los cubanos, en general, suelen ser apuestos, pero esa belleza se encubre detrás del trabajo de resistencia que desgasta y anula. Se van borrando los líricos rasgos, pierden su ángel, dejan de ser lo que fueron, desaparecen y se alejan de sus fotos de carnet de identidad tomadas a los veinte años. Se vuelven otras personas, envejecen a una velocidad impresionante. Desertan de sí mismos, escapan, sí, pero ¿adónde?

¿Podría yo adaptarme a vivir con un hombre como éste? No, no sería capaz. Me siento como un náufrago, pero ni así podría dar ese paso. No estoy tan desesperada. Lo que sí me gustaría es leerle a Alberto la novela, pero no, me aguanto, algo me dice que no debo, que él no es confiable. Además, ya le dije que no estaba escribiendo.

—Buenas noches —dijo Alberto despertando de su letargo, levantándose lentamente para ir al baño, reacomodando, para mi sorpresa, una pistola en la parte trasera de su pantalón.

¿Un arma? Mañana mismo saco este original de la casa.

Para mí era todo, la noche había terminado.

XVI

Cuando Márgara llegó yo ya estaba de salida, necesitaba ir a un hotel a conectarme por primera vez a Internet desde La Habana.

Prometí que desde aquí nunca lo haría. Poner la contraseña de mi correo electrónico, pasar por un servidor interno, regalarles tu intimidad una vez más, es como desvestirse en plena calle, desnudar mis escritos, exponerlos a que los roben sin ser publicados; pero esta vez no tenía otra salida.

Es inseguro, lo sé, y también muy necesario.

El original no podía tenerlo en la casa ni un día más. Una novela no es para guardarla en las gavetas hasta que alguien la encuentre. Una novela necesita aire, tinta, luz. Ser vista por tus editores, salir al mundo, volar.

La pistola de Alberto era el arma secreta que ahora me perseguía por las calles, el móvil que me hacía correr hasta lanzar la novela al más allá.

En una pequeña oficina de Barcelona alguien la espera.

Márgara y yo desempacamos lo que me habían devuelto, que, por supuesto, no era todo.

Me sentía casi feliz, era como recibir mis propios regalos, cosas que me enviaba yo misma. Lo que escupe la marea al amanecer y uno descubre caminando temprano sobre la arena fría.

Tenía tanto miedo a abrir y no ver objetos o documentos esenciales como las fotos de mis padres, mi computadora. ¿Qué habrían devuelto y qué no?

Con un golpe de cuchillo, Márgara abrió la primera. Un profundo olor a cigarro y alcohol salía de aquellas cajas con mis pertenencias.

Poco a poco, al tocarlas, sentía que no tenían mi espíritu ni mi aroma. Habían sido manoseadas, usadas por otros. Tenían como una pátina ajena, ya no me parecían confiables. Habían sido violadas.

Rescaté de este nuevo naufragio las fotos de mis padres, su correspondencia con mis abuelos durante los viajes.

Volví a ver mis libros de Borges, Martí, Cortázar, Salinger. Las postales de la vuelta a Cuba, las fotos de cuando subí al Pico Turquino con mis compañeros al finalizar duodécimo grado. Recuperé más de lo que imaginaba.

Revisé la colección de revistas *Lunes de Revolución* que atesoraba mi madre. Es raro, pero todas me fueron devueltas.

Abrí mi computadora, la puse a cargar, y muy pronto supe que adentro no había absolutamente nada, ni un solo programa quedó vivo esta vez.

170

En una de las cajas aparecieron ciertas cartas que nunca salieron del correo y que llegaron a La Habana pero nunca me fueron entregadas.

Una de ellas la envió mi amigo Armando desde Nueva York. Parece haber sido escrita antes de la muerte de mis padres. Yo nunca recibí esto. ¿Él habrá recibido las mías?

Querida Cleo:
Demasiado silencio.
¿Cómo has estado?
Hoy me acordé mucho de ti. Estuve toda la tarde en Epistrophy, un café italiano, mi favorito, disfrutando de la soledad pública. Está en la calle Mott en No-LiTa, un barrio precioso cerca de Soho. Ya lo verás. Fue allí donde escribí una parte de Nueva York no eres tú *y* El libro de los amores breves, *que publiqué el año pasado en Barcelona y del que te he guardado un ejemplar para entregártelo aquí. Ya es hora de que vengas aunque sea unos días. Me encantaría pasear contigo como lo hacemos en La Habana. Estoy seguro de que te va a encantar; sabes que conozco esta ciudad como mis manos.*
El viaje allá fue muy hermoso. Poder cuidar a mi madre, haberla dejado sana y verte otra vez fue un verdadero lujo. Tu nombre y el de otros de nuestros amigos siguen siendo esa ciudad, por suerte. El regreso ha sido duro, este mes apenas pude pagar el alquiler, estoy viviendo muy frugal, más que de costumbre, pero ésta es mi realidad. Ser poeta, ya lo sabemos, es una sweet curse, *quizás aquí más que en otra parte, pero aun así*

Nueva York sigue siendo mi ciudad favorita. Soy un ser dividido y eso tal vez ya no tenga remedio.

De Roberta, la muchacha brasileña con la que estuve en La Habana, te diré que regresó hace diez días. Sigue con su esposo, no la he vuelto a ver. He decidido aceptarla como una ofrenda que me hicieron La Habana y los dioses, aunque te confieso que no dejo de pensar en ella, me duele todos los días, a cualquier hora. «Tendré que ocultarme o huir», como diría Borges en «El Amenazado». ¿Recuerdas ese poema? Te lo leí aquel día que esperamos el amanecer en la Playita de 16.

Deberías venir en el verano, o si no en la primavera, que aquí es preciosa y la gente sale a vivir hasta el dolor. Ya sabes, siempre dicen que soy intenso, pero igual tú y yo sabemos que la vida es un día y después no recuerdas nada de aquello. Piénsalo bien y avísame con tiempo, que se va haciendo tarde. Quiero malcriarte como lo haces conmigo cuando estoy en La Habana.

No dejes de saludarme a tus padres, agradezco que me llevaran al aeropuerto. Despedirse de Cuba nunca me resulta fácil.

Cuídate por ahí, mi Cleo, y termina tu libro, por favor.

Te quiero siempre,
Armando

P. D.: Es posible que un amigo actor pase por La Habana a preguntarte algunas cosas para la investigación de su película. Es un asunto delicado, así que lo hablará personalmente.

172

¿Quiere esto decir que fue Armando quien me envió a Gerónimo? El mundo es un pañuelo. ¿Por qué Gerónimo no me dijo que era amigo de Armando? Tal vez asumía que yo lo estaba esperando. ¿Cuánto tiempo lleva siendo investigado todo esto? En fin, ahora es imposible saberlo.

Descubrí mensajes de amigos y conocidos que nunca llegaron a mí ni a mis padres. Sobres abiertos, lacrados, y algunos hasta cerrados por segunda vez con papel precinta sobre enormes desgarraduras. Invitaciones personales a congresos, catálogos con bibliografía científica, postales de colegas escritas en ruso y alemán.

Algunas cartas nos felicitaban por el fin de año y otras anunciaban bodas, nacimientos, muertes de amigos entrañables.

La mayoría eran largas apologías a mis padres, pésames, lamentos, preguntas complejas e incontestables sobre la naturaleza del fatídico accidente.

¿Qué he leído o qué no de todo lo que se me ha enviado? ¿Quién me escribe y no lo sé? ¿Por qué dejan pasar estas cartas y no otras? ¿Por qué ahora?

Todo esto me lo preguntaba regresando a ese universo de prohibiciones y devoluciones, donde lo único que no me fue devuelto fueron los libros que estaban forrados por ser «prohibidos».

Al anochecer, cuando Alberto llegó, me di cuenta de que estaba asombrado al ver mis pertenencias colocadas en su lugar. Por su asombro y la cautela en sus respuestas, supe que él no tenía nada que ver con esa devolución.

Tengo un grave defecto, no puedo quedarme callada cuando necesito averiguar algo.

–Me imagino que tienes mucho que ver con la llegada de mis cosas, ¿verdad? –dije con un poco de sarcasmo.

–¿Yo? Bueno, sí y no.

–No, dime, ¿sí o no? –insistí.

–Hay cosas de las que uno no puede hablar. ¿Cuándo llegaron?

–Ah, ¿pero no sabes cuándo llegaron? Hoy por la mañana –expliqué con mucho cuidado–. Vinieron tres militares en un camión, me pidieron que firmara un papel y desembarcaron siete cajas en la puerta.

–Todo esto tiene que ver con un pedido muy especial que hice yo, pero, como comprenderás, de eso no se habla, nena –explicó caminando a la cocina con una botella de ron que había traído él mismo.

Es raro, siempre soy yo quien compra las bebidas. Un hombre armado tomando ron me resulta muy peligroso, estoy sola en esta casa y, ahora que lo sé, no puedo dejar de pensar en eso.

Pasé la noche intentando no beber. Sorbía un poco el vaso, le ponía hielo evitando perder el control. La cara de Alberto al entrar y ver mis cosas no me gustó nada. Intentaba descubrir si traía consigo su pistola, pero estaba muy abrigado, no la tenía a la vista.

Vimos dos películas y comimos un pollo que había dejado Márgara.

174

Bebió y bebió compulsivamente hasta terminar la botella que trajo. Me pidió más bebida, la que tuviera en mi despensa, pero yo le pedí que se fuera para poder descansar.

Se resistió, insistió en que le buscara un trago más, luego otro. Finalmente lo convencí de salir, estaba exhausta y un poco preocupada. Lo guié hasta la sala para asegurarme de que se iría, y cuando intenté sacarlo de casa, me arrinconó contra la pared para intentar besarme; lo empujé con fuerza y de un golpe lo coloqué en la puerta, él la detuvo calzando su pierna en el marco, evitando que pudiera cerrar.

–Cleo, ven acá. Abre, abre la puerta –susurró cauteloso.

–Vete, por favor.

–Tengo que decirte algo importante –explicó dejando sus manos en el cierre, evitando perder el poco espacio que aún nos comunicaba.

–Dime –pregunté entreabriendo la puerta, asomándome.

Alberto agarró mi cara con sus dos manos y me besó en la boca. Yo me quedé quieta, respiré profundo y, cuando más confiado estaba, hice el ademán de dejarlo pasar, retiré la cara, cerré bien la puerta, puse doble llave y caminé rápidamente por el pasillo hasta alcanzar el baño.

–Cleo, Cleo, abre la puerta... –gritó Alberto desde afuera.

Yo sabía que todo eso pasaría, Márgara me lo había advertido. Estaba sola, era madrugada profunda, y hasta el fondo de la casa llegaban sus gritos.

175

Me encerré en el baño para darme una ducha caliente y aflojar mis nervios, necesitaba dormir. Cuando dejé de escuchar su voz, salí del baño desnuda, al parecer ya todo había pasado. Mañana hablaré con él, pensé, tal vez si lo hago con cuidado, sin bebida de por medio, me entenderá.

Acomodé la cama para acostarme, estiré los dedos de los pies, apagué la luz y, cuando ya estaba a punto de cerrar los ojos, sentí dos tiros que venían desde el portal.

En menos de cinco minutos la calle estaba rodeada de policías.

XVII

El 17 de diciembre es un día muy importante para los religiosos cubanos. Se celebra y se alaba a San Lázaro, que en la religión yoruba personifica a Orula. Muchos viajan hasta El Rincón llevando ofrendas o arrastrando sus piernas enfermas, arrodillados, caminando de espaldas o, simplemente, venciendo kilómetros a pie para homenajear al milagroso santo rodeado de perros, sanador de enfermos, guía de los caminos más oscuros.

Márgara es devota de San Lázaro, por eso no había venido a trabajar, yo planeaba perderme con ella en la multitudinaria peregrinación, pero lo pensé mejor, es demasiado lejos y llegar allí el mismo 17 resulta complicado.

Tocaron a la puerta mientras yo estaba en la ducha, intenté apurarme, pero al abrir no había nadie. Franqueé el portal y el jardín ensopada, envuelta en la enorme bata de Gerónimo. Ya en la acera vi alejarse a un joven delgado, caminaba despacio, como paseando, bajaba en dirección a la calle 23, era alto, estaba vestido de azul y tenía un paquete en la mano. No sé por qué razón, aun en medio de mi desconfianza, algo me hizo correr hasta él para alcanzarlo.

Apreté el paso, me atravesé en su camino, y así, descalza y chorreando agua, le dije:

—Hola, buenos días. ¿Fuiste tú quien tocó en mi casa?

—¿Cleo? —preguntó casi seguro el joven, un poco sorprendido pero risueño—. Soy Rubén Gallo. Un placer conocerte —dijo tomando mi mano, haciéndome girar encantado, convirtiendo mi aspecto desaliñado en el atavío de una reina.

—No te esperaba. ¿Vienes de parte de...? —pregunté un poco ansiosa, deseando confiar.

—De Gerónimo —confirmó Rubén con aplomo.

—Ah, sí, pero ven, ven, pasa. ¿Quieres tomar un café? —lo invité, urgida de entrar a la casa.

Rubén es profesor en Princeton, en febrero regresaría a La Habana, pero esta vez con sus alumnos para estudiar la literatura que destila aquí la vida real. Cuando hablaba sentía que estaba completamente limpio, era alguien al que no parecía haberle pasado nunca algo malo. Con mucha agudeza escondía su inteligencia, pues pertenece a ese grupo de personas que parece no querer exhibir lo que sabe.

—¿Eres amigo de Gerónimo?

—Lo conocí hace tres semanas en Nueva York porque va a interpretar a Proust en una película y yo escribí un libro sobre sus nexos latinos. Nos hemos visto mucho en estos días. Me pidió que te trajera esto –explicó tendiéndome el paquete–. Por favor, no le pongas azúcar al café.

–Aquí todo el mundo toma el café muy dulce, pero yo no –dije sirviéndolo en unas tazas que pertenecieron a mis abuelos de Varadero, con las iniciales de la familia y una marina estampada en el fondo, y mientras lo hacía, me di cuenta de lo que disfruta el cubano (en este caso yo) mostrando las sobras de su abolengo.

–Me encanta esta casa. ¿De qué año es?

–Fue construida en 1935. La adoro.

–¿Naciste aquí?

–Creo que sí –dije riendo, contagiándolo a él también de una risa que proporciona cierta información...

–Comprendo. Esta ciudad es increíble, interminable. Te pierdes... ¿Puedo pasar al patio? –preguntó cuidadoso.

–Por favor, revisa todo, claro que sí.

Mientras decía esto pensaba cómo es posible que pueda abrirle mi casa a un extraño y, a la vez, desconfíe del ochenta por ciento de las personas que veo a diario.

Tomé un cuchillo y apuñalé el paquete. Dentro de él encontré dos tabletas de chocolate blanco, una latica de foie gras y un sobre cerrado. Rasgué el sobre y dentro encontré una copia actualizada de mi certificado de nacimiento, el de Washington. Allí estaba mi nombre, mi fecha de nacimiento, pero aparecía como hija de Aurora de la Caridad Mirabal Álvarez y Mauricio Antonio Rodríguez.

179

—Lo que me gusta del patio son las pequeñas ruinas de esculturas que se pierden entre los árboles. ¿Has intentado restaurarlas? —preguntó Rubén desde la cocina.

—¿Restaurarlas? Ya ni me acordaba de esas...

Rompí a llorar, desconsolada frente al papel. Rubén vino corriendo, yo le tendí el documento y él sólo lo leyó sin poder comentar demasiado.

—Bueno, Cleo, qué momento para conocerte, ¿no?

—Sí —dije, intentando animarme y hasta reír—. Es un comienzo raro.

—No, es excelente. Salgamos un rato. ¿Te cambias o sueles pasear descalza?

Ya sé que parecerá absurdo, pero nos abrazamos como viejos amigos y, claro, decidimos salir a zapatear La Habana. A esas alturas no había mucho que hacer dentro de la casa y me gustaba la idea de mostrarle la ciudad a Rubén.

Un poco antes de salir de casa buscamos un sitio seguro para esconder el certificado, que terminó en el refrigerador, oculto entre las verduras que Márgara había lavado.

Avanzamos a pie la ruta que va de El Vedado a Centro Habana. En los días fríos es muy agradable caminar, curiosear en los barrios, mirar dentro de las casas. Aquí casi todas las puertas permanecen abiertas, siempre que doblas una calle, aparece el mar, lo veo como una broma bien pensada del trazado urbanístico. Yo opino que Centro Habana ha sido olvidada completamente, y no se restaura porque creen que no tiene el valor de otras zonas, pero si miras los edificios *art déco,* te das cuenta de que los desplomes que se suceden aquí cada año son un verdadero crimen.

–Salgo tan poco.

–¿Pero cómo se puede vivir aquí y perderse todo esto?

–Creo que me es suficiente con lo que pasa entre mis cuatro paredes.

Rubén y yo dejábamos pasar los cuerpos que surgían entre nosotros, personas que nos separaban yendo y viniendo como autómatas por la acera: torsos desnudos, espaldas abrigadas con colores escandalosos, pelos sueltos, sensuales rostros se transparentaban como entidades penetrando, retando, golpeando duro a nuestro paso, rozando con fuerza nuestras manos, zarandeándonos con su voz, imponiéndose desde la espesura, brotando de los interminables pasadizos de La Habana Vieja, bañándonos de una realidad que ahora nos poseía de pies a cabeza. Tambores, llantos infantiles, carcajadas, el coro de una escuela, malas y buenas palabras, carros que intentan arrancar, motos que se pierden en la distancia, reggaetón, las noticias a todo dar, un teléfono que suena pero nadie lo contesta. Alguien preguntando una dirección con otro acento, pregones contemporáneos, porque a La Habana regresaron los pregoneros.

Huele a gas urbano, a frito y a petróleo, creolina para baldear, perfume de puta enmarañado con pastelitos de guayaba; hiede a fosa, alquitrán, a marisma, a costa norte revuelta.

Sabe salado, sabe a labio cortado.

Rubén y yo descubrimos que en varias esquinas habían sacado un televisor.

Las empresas, las bodegas, los talleres de mecánica subían el volumen y abrían las puertas para que la gente entrara a escuchar. Alguien hablaría al pueblo porque algo grave pasaba, la muchedumbre empezaba a aglomerarse delante de las pantallas, el silencio contrastaba con la común algarabía de la ciudad. Eran casi las doce del día y la banda sonora de la televisión cubana rebotaba sobre los edificios, hacía eco en los balcones y se escapaba entre las bocacalles rumbo al mar.

Rubén y yo, sigilosos, nos arrimamos a un televisor que transmitía un programa científico, minutos más tarde se hizo un corte brusco en la programación para anunciar un comunicado de Raúl Castro y Barack Obama. Ambos presidentes comenzaban a hablar a un mismo tiempo desde realidades paralelas. Los televisores transmitían las dos versiones del asunto, Obama le hablaba directamente y sin intermediarios al pueblo cubano, era la primera vez que un presidente norteamericano nos miraba a los ojos para decirnos algo.

Raúl explicaba sus razones para ese paso y la gente se miraba temerosa de que nada de aquello fuera real, de que estuviésemos delirando o que resultara una trampa, otra trampa que la vida nos ponía como prueba de supervivencia a los cubanos.

La bipolaridad del momento, las casi seis décadas de espera, el terror a la estática de tantos y tantos

182

años nos hundía en una sensación de atemporalidad, de incredibilidad y extrañamiento. Entonces Obama dijo, en clave cubana, *No es fácil*, y la gente aplaudía reconociéndolo en nuestro lenguaje, se abrazaban, reían y empezaban a creer que todo aquello era real, que las cosas esta vez sí podían empezar a cambiar.

A pesar del comedido, emotivo, delicioso júbilo en la calle, todo sigue exactamente igual. Los cambios se sucederán lentamente, lo sé, pero tendrán que pasar décadas para que esta realidad, la que he vivido sin perderme un solo capítulo, cambie de color.

Por la calle encontramos a un chico rubio, delgado, de ojos claros, que, como nosotros, se sentía alegremente aturdido, en la confusión de abrazos, preguntas y respuestas; se sumó a nuestra peregrinación. Era un sastre. Quería, tal vez, montar una tienda de trajes en La Habana. Qué hermoso sería, dijimos celebrando la idea del desconocido.

Regresamos a El Vedado, nos sentamos frente al mar para ver pasar la tarde lentamente entre los cañones y jardines del Hotel Nacional, y sólo entonces supimos que ya Cuba había cambiado, porque la gente empezaba a reconocer el liderazgo de una manera más amplia. Alguien más decía, a un mismo tiempo, que existía otra opción que no fuera inmolarse.

Entonces Rubén comenzó a contarme sus planes para traer a los alumnos de Princeton. Me contó sobre el paso de Reinaldo Arenas por esa universidad.

—¿Te gustaría dar una charla en Princeton?

Cierro los ojos y reviso el día de los sucesos definitivos. Los cambios se suceden de golpe, sin apenas esperarlos. Recuerdo ese verso de Eliseo Alberto Diego que dice: «Si un minuto basta para morir, cómo no va a bastar para cambiar tu vida.»

Rubén me acompaña a casa, bajamos por la calle 21, caminamos pisando los boliches rojos bajo los árboles de El Vedado, el efecto del vino blanco funde los sentimientos con la realidad.

Una conga de personas que venían llegando desde El Rincón, con la gente vestida de morado en tributo a San Lázaro, nos atraviesa y contagia de su euforia, la letra reza: «Obama, Obama, tú sí haces lo que a ti te da la gana.»

Cuando voy a sacar las llaves me percato de que la puerta está abierta. Rubén me mira asustado, pero le digo:

—No importa, es normal. Buenas noches, Rubén.

—¿Nos vemos en Nueva York?

XVIII

Llego a Nueva York con permiso de salida temporal en el pasaporte cubano, pasaporte americano nuevo, y sin ninguna idea de lo que se dice a mi alrededor, porque pertenezco a esa generación que aprendió ruso, no inglés. Las frases son parte de la banda sonora de esta otra vida que necesitaba iniciar antes de volverme nada, desaparecer, morirme de inanición escribiendo, pensando, encerrada, enloqueciendo entre cuatro paredes, con miedo a salir de casa y que me tiraran un carro arriba.

Si salía me hacían un registro y me llevaban los documentos del viaje, si salía podría tener un accidente parecido al de mis padres.

Me declaré enferma. Estaba enferma, sigo enferma, es muy difícil no enfermarse después de todo esto.

Pasé todo el fin de año acostada, deprimida, llorando y empastillada por Márgara, que conoce muchísimo de psicofármacos. La mayoría de las mujeres cubanas toma diazepam, nitrazepam o meprobamato porque, como ella misma dice, «la vida es muy dura pa' llevarla clara».

Resistí como pude, hasta lograr la salida de Cuba, el largo papeleo para recibir mi pasaporte americano teniendo otro apellido, la recuperación de los documentos para este fin, la vigilancia, mi incertidumbre y el miedo. La Oficina de Intereses es un pasadizo complejo de atravesar, un laberinto al que la gente entra sin teléfonos, sin objetos personales. He podido burlar las largas colas, en definitiva soy una criatura nacida en Norteamérica y tengo derechos legales en ese lugar.

Decidirme a aceptar ser una u otra Cleopatra, la que nació en Washington o la que pudo nacer en La Habana, contradecir o traicionar a mi madre, lo que ella dejó trazado para mí. Detenerme a pensar si esta salida debía o no ser de carácter definitivo. ¿Qué es en mi vida lo definitivo?

Llegar a Nueva York para arrojarme, por fin, a los brazos de Gerónimo ha sido un ejercicio suicida; abrazar la nada, tirarme al vacío sin encontrar debajo el colchón elástico, el lecho de plumas que esperaba encontrar después de la fuga.

Llego a Nueva York para sentir que éste es un lugar abstracto donde en realidad nadie me espera, tampoco importo, no existo; eso es aterrador.

Percibo la distancia, la profunda distancia entre los cuerpos, las voces afinadas en otro canon, los tiempos arrolladores, la cortante indiferencia que paraliza a los desconocidos al colisionar sus cuerpos, sin

186

querer, a la salida del metro. ¿Adónde va todo el mundo? ¿Por qué corren? ¿Decretaron estar bien? ¿Realmente todos están bien a toda hora? *Great! Fine!* ¿A quién sonríen si no me conocen? ¿Por qué me dejan atrás mientras se pierden y aparecen miles de otros seres semejantes perseguidos por el demonio de sus propias metas?

Una ciudad no es un nombre, no es la idea de la utopía que otros han podido conquistar. No es la *promenade* eterna por los museos raramente iluminados. Una ciudad, para mí, es una dirección exacta adonde ir, un cuerpo al que abrazar, una cena que compartir, un vino que destapar y un pasaje que devorar con ojos que traduzcan la realidad que pisa el cuerpo. No vives en un lugar porque está de moda o porque suena elegante residir allí, vives en un lugar porque en él está tu trabajo, porque encuentras un pedazo de ti que deseas conquistar y adaptar a tu imagen, a tu energía, a tu carácter.

Mi espíritu aún estaba cautivo en La Habana. Yo todavía no había llegado con todo y alma.

Distancia para encontrarse, distancia para citar a alguien con el propósito de coincidir, distancia para enviar un texto cauto que planee ese propósito sin expresar demasiado interés. Distancia para amar, para hacerte la desinteresada en estar con esa persona que escapa una vez que vences su distancia. Distancia que se fortalece justo en el momento que tratas de mirarla a los ojos y domar su lejanía.

–Tal vez es tarde para mí. Tarde en Cuba y tarde en Nueva York, estoy liquidada. Me vencieron. Los seres como yo se fragilizan de un modo tal que quedan en el camino. Sólo servimos para escribir. La realidad nos mata, nos vuelve tinta y texto, sólo eso –dije al encontrar a Armando en Epistrophy, sintiendo que su presencia era un poco de oxígeno que me llegaba al fondo del mar cuando ya parecía que el agua ganaría mis pulmones. Al menos pude abrazarlo y llorar.

–Eres trágica, provinciana, de una debilidad que espanta, pero soportarás. Te quiero por ti, porque eres auténtica, tu talento me da lo mismo. De hecho creo que no sabes todo el talento que posees. No hace falta tirarte las cartas para saber cuál será tu futuro profesional.

–Escucha, Armando, yo ni... –intenté explicarme.

–No. Silencio. Ahora debes escucharme. Quiero a Cleo, la que pierde a sus padres y parece perderse ella misma, la que cambia de apellidos y le duele, la crédula que apuesta porque aquí alguien la espera y le tiran la puerta de la realidad en la cara. Te admiro porque eres una superviviente ingenua, porque, en esencia, eres una buena persona que no deja de serlo por más pruebas que le pongan. Luchas por seguir creyendo en todo lo que sientes, te entras a trompadas con la realidad defendiendo tu ideal de coherencia, y eso, hoy en día, es un espectáculo difícil de ver.

Hicimos una pausa para probar el café y los bocadillos, pero yo sólo pude beberme el café, un nudo entre la garganta y el estómago me impedía tragar. Las eses del café hirviendo tonificaron mi cara. Tenía mucho frío, y ni siquiera me había dado cuenta.

—No me gusta esta ciudad —dije mirando a través del cristal.

—Nueva York no eres tú, tú eres La Habana, y fíjate, aun siendo La Habana lo que te hiere, formas parte de eso, no lo niegues —sonrió con una ironía dulce.

—No, no lo niego. Por eso mi salida no es definitiva. Lo extraño es pensar que allí nadie me quiere, nadie me espera —dije rompiendo a llorar.

—Excepto La Habana —dijo Armando con el ceño fruncido.

—Pero un lugar abstracto no espera a nadie, eso es lo que me pasa con Nueva York. En La Habana al menos tengo mi...

—En La Habana tampoco tienes nada. Uno sólo se tiene a uno mismo —interrumpió mi discurso tomando la cuenta para pagar.

Armando trasladó mis maletas a su casa, me sacó del hotel que yo había pagado sólo por una noche y cocinó para mí un delicioso plato criollo de enchilado de camarones y arroz blanco.

Tomé una ducha caliente, me puse un hermoso y abrigado pijama que alguna amante había abandonado en aquel nido cubano de Brooklyn y me permití cenar.

Después de tres copas de vino, cuando el frío de

enero ya había abandonado mi cuerpo, miré los cuadros de artistas cubanos que él se había traído hasta aquí, yo había visto esas obras en su espacio de Nuevo Vedado, pero aquí se veían distintas. Paseé por sus texturas, revisé la luz de Cuba que aún titilaba en mis sentidos, adiviné los apuntes anteriores a las obras, esos que emergen aunque se traten de ahogar bajo un grueso brochazo nuevo, definitivo trazo. Me acurruqué en el sofá, bajo las mantas, al lado del fuego, para contarle, al fin, lo que pasó ayer cuando llegué a esta ciudad.

Había cambiado mis apellidos, había hurgado en el pasado de mis padres, que era mi propio pasado. Me había metido en la cueva del lobo investigando algo que en Cuba era más que tabú. Incendié todas mis naves con Gerónimo porque su proyecto era el mío, su narración trataba también de mi vida; guardé silencio, resistí con lealtad...

—¿Y ahora? ¿Qué pasó? —preguntó Armando.

Intenté reproducir cada palabra y cada gesto tal cual sucedió, sin alterar nada con mi mente creativa, quería que el poeta fuera mi testigo, yo me sentía muy confundida con todo eso y necesitaba escuchar su sentencia.

Llegué en esos vuelos directos, comunitarios, repletos de cubanos que te hacen sentir que no has dejado Cuba hasta que no sales del aeropuerto y sólo te repones del hiperrealismo tropical en plena calle.

Lidia, la asistente de Gerónimo, me fue a buscar y me entregó el teléfono que ahora tengo.

—¿Por qué no vino Gerónimo? —le pregunté.

–Porque Gerónimo en un aeropuerto es una bomba de tiempo. Los reporteros que viven y mueren en este aeropuerto no nos dejarían caminar. En la tarde estarían en todos los periódicos, y ustedes no quieren eso, ¿verdad, Cleo? –preguntó Lidia con una mirada incisiva, incomprensible para mí.

Llegué a su apartamento, me dio un abrazo helado, distante. Le entregué una caja de puros Romeo y Julieta y dos botellas de ron Havana Club. Él abrió los puros, seleccionó uno, lo probó por el remate, lo encendió y se sirvió un buen vaso de ron sin hielo. Eran las once de la mañana. Se movía con cierta gravidez, trasladaba su cuerpo con un peso que en nada recordaba su ligereza.

No reconocía a la persona que me esperaba, no sé quién es ese hombre. Yo no hubiese dado un paso por alguien así, no se ve como alguien con el que me relacionaría, con el que compartiría mi casa, mi cuerpo, mi poesía.

–Te veo muy extraño. ¿Pasa algo que no sé? –le pregunté desembarcando.

–Sí, siéntate, Cleo. Necesitamos hablar. –Hizo una pausa, se sirvió un poco más de ron, saboreó el puro, respiró hondo y soltó aquel clásico–. Estoy confundido.

Es bien sabido que cuando un hombre dice «estoy confundido» significa «esto se acabó». Pero, en su caso, sentía que en realidad nunca había empezado nada, porque me hablaba con crueldad, con aspereza, como si no sintiera las heridas que iba trazando dentro y fuera de mí.

191

Sentí como si los meses que vivimos en Cuba fueran parte de una ficción que él, por contrato, fue obligado a interpretar. Me convirtió en un personaje, en un dibujo animado que se apareció en su casa a reclamarle con ilusoria fantasía. Yo era esa criatura insólita que venía a decirle: «Hola, Gerónimo, aquí estoy, soy tu novia dibujada», y entonces él se tuvo que molestar en explicarme que no, que soy irreal, que lo auténtico es la pesadilla de su vida actual.

–Eso es sólo una percepción, Cleo. Dime qué te dijo exactamente.

–Lo primero es que no podía decir esto a nadie. Lo repitió varias veces.

–Sí, pero continúa –imploró, nervioso, Armando.

Me explicó que estaba en un largo proceso de divorcio, un juicio donde su ex lo quiere absolutamente todo. Lo acusa de maltrato doméstico y pretende quitarle a su hija. Yo nunca antes lo había escuchado hablar de nada de eso.

–Todos lo saben, menos tú –aclaró Armando.

Luego me comentó que había vuelto a ver a una mujer de la que sí me había hablado. En Cuba la llamaba «la Sociópata», lo perseguía a todas partes y hasta logró localizarlo por teléfono en mi casa y en el hotel de México. Me contó, como si aquello no me hiriera, como si yo fuera su hermanita menor, que su relación física con ella era tan compleja que no lograba abandonarla. Él sabía que eso también terminaría mal, en manos, incluso, de algún otro juez, pero su debilidad por ella, por lo que sentía sexualmente cuando peleaban o se poseían, no le permitía dejarla.

192

–¿Y para qué me pediste que viniera? –pregunté al sentirme ajena a todo ese caos.

–Porque las cosas se hablan personalmente. Porque te necesito para legitimar esta película; recuerda que tenemos un proyecto en común. Porque te viene bien salir de Cuba. Porque quiero devolverte lo que hiciste allá por mí. Porque las cosas hay que cortarlas por lo sano –dijo con mucha calma, sin ningún remordimiento, mientras se recreaba en los aros dobles de humo que dibujaba por el salón su puro habanero–. Puedes instalarte por ahí, en cualquier habitación, menos allí, ésa es la mía –dijo señalando a su izquierda, tendido en el sofá.

Tomé mis maletas y las arrastré por el departamento. El ruido de las ruedas sobre la madera, el olor a tabaco y el ayuno me produjeron asco, mareo. Luché para no desmayarme, me sentí muy mal.

Gerónimo entendió que me instalaría en algún cuarto, yo doblé hacia la entrada, intenté abrir la puerta y no pude, insistí haciendo girar el llavín hasta que Lidia vino a pedirme que no me fuera, que «Él» correría con todos mis gastos hasta que viajáramos a Cannes en el mes de mayo. La escuché, luego le rogué que abriera la puerta, ella me pidió que no contara nada de eso a la prensa ni a los amigos. Volví a pedirle que abriera la puerta, ella lo hizo, tomé el elevador y salté a la calle en busca de un hotel.

–¿Por qué no estoy sorprendido? –dijo Armando sirviéndose una copa de coñac.

Caminaba por Nueva York y veía a Gerónimo en las vallas publicitarias anunciando un traje de Armani.

Aparecía en todas partes, también en las películas que encontraba buscando algo que ver en la larga lista de canales que tenía a mi disposición.

Es curioso, en cada uno de los filmes Gerónimo era una persona distinta a la que conocí. El ser con el que viví había desaparecido, o tal vez yo lo había inventado. Soy especialista en inventarme personas, cosas, mundos.

Intenté dar con Rubén para conocer Princeton, pero me escribió contándome que ya estaba en La Habana, encantado, dictando su curso.

Empecé a escribir un poemario que narraba contextos, vestuarios, trajes para un mismo hombre que mutaba con cada historia, mientras Armando servía de *coach* a un actor francés que debía representar a un bailarín cubano. Era muy simpático verlo maquillar o disfrazar su voz, sus gestos, con algo que para nosotros es natural, genuino, común y corriente: la cubanía.

La verdad sea dicha, Armando cocinaba como los dioses, pero a veces, para variar, cenábamos en un restaurante coreano que está en la calle Grand, muy cerca de la casa, se llama Dokebi. Como no me importa tanto comer como el espectáculo de la comida, elegía siempre un plato en el que puedes cocinar tu propia carne y vegetales en mesas que tienen una pequeña hornilla de gas en el medio.

Otras veces terminábamos en Tabaré, un restaurante uruguayo muy sabroso, los dueños son amigos de Armando, está en el barrio, justo en la calle South 1, y tienen buenas carnes y maravillosas empanadas.

Pasaba horas caminando sola por Williamsburg, curioseando en las papelerías y jugando a encontrar librerías con títulos en español. ¿Qué busco en este lugar? Los días se sucedían sin misterio. No pasaba nada, nada más que la vida. ¿Hay algo más reservado para mí o es éste el final de todos los finales posibles?

XIX

Apareció el rostro de mi padre en la moviola, su cara a los veinte años era tan parecida a la mía. El olor a cinta quemada y la intensidad de aquel perfume de Gerónimo otra vez a mi lado me provocó un vahído, luego un espasmo, casi una arcada; pero me contuve, soporté hasta que terminaron las imágenes de archivo y se encendieron las luces.

Evitaba encontrarme con Gerónimo, y cuando lo hacía por necesidad, no le miraba a los ojos, respondía con monosílabos y no aceptaba ninguna invitación o cita fuera de las cosas que se relacionaban con la película. Quería saber cómo quedaría yo en la articulación dramatúrgica de la parte documental, la historia es de quien la cuenta, y no quería quitar el ojo de su colimador.

Necesitaban entrevistarme, pero qué podía decir yo, aún no me acostumbraba a la idea de ser hija de un desconocido, de un extraño, de un bandido o de un héroe que sólo conoce la Inteligencia cubana, la

CIA, el Departamento de Estado o la leyenda urbana que todo lo magnifica y distorsiona.

Allí estaba yo, diciendo tonterías a una cámara, luchando con el pasado que me espera. Gerónimo se sentó frente a mí y lanzó tres preguntas:

—¿Cuándo supiste que Mauricio era tu padre?

—¿Qué significa para ti saberlo?

—¿Qué significa para ti conocer que eres americana y que tu padre fue fusilado el mismo año en que naciste?

Respondí con la teatralidad que él esperaba. Le devolví el papel de héroe que necesitaba para pasar a la historia como el descubridor de la verdad.

Lloré hacia el final, y eso garantizaba un poco de drama para los créditos. Él ya me había filmado caminando por La Habana y ese estado calzaba perfectamente con lo registrado anteriormente. La música que me mostró ayudaría agudizando, enfatizando el melodrama, haciendo llorar hasta a los inconmovibles.

—Es difícil ahora mirarme al espejo y descubrir otro rostro, pero al menos ya sé de dónde vengo —dije calculando el final de mi entrevista, y lo hice con toda sinceridad, porque desde que sé que Mauricio Rodríguez es mi padre me cuesta pasar por los espejos, veo algo en mí que no reconozco.

En el estudio hubo aplauso cerrado. Hice lo correcto; a cambio, esperaba ver un poco de la ficción que él había rodado al llegar de Cuba con las ideas frescas, era una película experimental en la que Gerónimo encarnaba a mi padre, reconstruyendo todo lo

197

que no había logrado averiguar. Confiaba en que podía ser interesante navegar sobre lo apócrifo, pero no lograba revisarlo, cada día me decían que esperara al siguiente porque así estaría listo con subtítulos.

La última vez que estuve en la sala de edición conocí a Miguel.

¿Quién es Miguel? ¿Por qué está siendo entrevistado?

Escuché su testimonio, era tan intenso lo que relataba que no pude salir del estudio hasta que terminó. Cada uno de nosotros tiene un libro por escribir, ésa es la única manera de ganarle al silencio al que confinan en Cuba a la historia reciente.

Miguel es hijo de un espía muy famoso, alguien que conocimos todos durante los años setenta y ochenta gracias a una serie que vimos una y otra vez durante los veranos por los dos canales de la televisión. Un hombre infiltrado en las filas del enemigo, reportando cada paso, cada estrategia, que fue convertido en héroe. Parecía que aquello era un secreto, y sobre ese misterio se basó toda su infancia, salvada por la agudeza y naturalidad de su madre, pero, aunque le cambiaron el nombre al personaje, y aquello se trataba de una ficción, Miguel cuenta que las últimas veces que fue a La Habana sentía cómo la gente, bajito y con disimulo, lo llamaba «el hijo del espía».

El caso de Miguel es exactamente el contrario al mío, él tuvo una excelente relación con su padre, pero vivió tratando de escapar a ese estigma; yo crecí de espaldas al mío, sin embargo parece que el destino corrió y corrió hasta tirarme del vestido y alcanzarme. Hoy Miguel es un excelente periodista y dirige una revista de artes visuales. Estaba al tanto de todo lo que ocurría en la ciudad en materia de exposiciones e intervenciones públicas.

De su mano y de la de su amiga Olatz, esa madrugada conocí el MoMA.

XX

El MoMA parecía una pista de patinaje vacía. Los cuadros se reflejaban sobre los pisos pulidos. Un silencio profundo aguardaba frente a las obras.

Era la madrugada profunda pero nosotros estábamos allí.

Olatz había sido una modelo muy famosa en el París de los ochenta, pintada durante décadas por Julian Schnabel, el padre de sus hijos.

Al día siguiente se inauguraba una exposición sobre musas contemporáneas y era inevitable ver expuestas tres enormes, descomunales telas del artista a propósito de ella.

Las obras de Schnabel parecían salirse, derramarse de los lienzos, y yo temblaba, tiritaba como una hoja al verla inspeccionar las luces bajo las cuales su cuerpo se encerraría para ser mostrado durante los próximos meses. Olatz las había prestado para compartirlas con los curiosos que, en horarios normales, vinieran a verla posar de espaldas a Nueva York, de frente en el estudio que construyó junto al artista, con los ojos abiertos ante el paisaje de su natal San Sebastián.

Una lluvia de plata repleta de preguntas hincaba mi piel al ver la obra y a la modelo en planos distintos, cimbreando sobre una luz que trepida, se acomoda, enfoca a una criatura sublime por la que fue erigido un monumento, y luego ve diluirse el lazo para ser convertido en arte, posteridad, materia literaria. ¿Cómo se puede transcurrir entre esas obras sin que el pasado duela? ¿Existe algún pacto para redimirse de ese pasado y saltar, ilesa, al otro lado de la obra? Olatz estaba viva, la obra también. Ambas sobrevivieron a un amor como ése. Eso significa que tengo una oportunidad de sobrevivir, tal vez sólo estoy aquí para entenderlo, dije respirando la textura aún húmeda que el óleo encrespado provocaba como una ola entre trama y trama del soberbio lienzo.

Ésta era la única hora en la que Miguel y Olatz podían venir con tranquilidad al museo, entonces no había más solución que abrirlo para ellos... y para mí. ¡Qué suerte!

Con sus encantos, Miguel logró que me dejaran recorrer rápidamente las salas contiguas. Así vi pasar, como flechas por mi cara, las obras de Warhol, Basquiat, Duchamp, Rothko y Wifredo Lam.

No hace falta fumar o tomar para gozar delirios caleidoscópicos, no hace falta salir del cuerpo para sentir que sobrevuelas tu materia.

Los ojos verdes de Olatz rodaban en el cielo del

museo, la cara de mi padre se extendía sobre mi falda de lana, mi cuerpo era un trineo tirado por Gerónimo sobre la cama de mi casa en El Vedado. Las cámaras nos seguían otra vez, y yo, yo era sólo una extraña, una intrusa en la jaula del museo cerrado, otra vez una espía, pero una espía en el MoMA.

Ese día nevó en Nueva York, entramos y salimos de tiendas y restaurantes que abren de madrugada, cenamos poco y caminamos mucho.

—¿Por qué vives aquí? —le pregunté a Miguel.

—Porque es la única ciudad del mundo que me da la libertad de tomarme una sopa tailandesa a las cuatro de la mañana o de comprar una computadora a las dos. Porque encuentro el periódico mucho antes del amanecer y veo las críticas de los espectáculos antes de irme a dormir. Aquí nada cierra por reformas —dijo Miguel con su espléndida sonrisa, parafraseando a Reinaldo Arenas.

Amanecimos juntos en la casa de Olatz, pasamos del vino tinto al café con leche con gran naturalidad, y allí, bajo los platos rotos de Julian, juré no creer en nadie más que en los amigos, porque el amor pasa, la euforia que provoca el deseo pasa, te borran de la fotografía ahogándote, asfixiándote en el mar de tinta china que destilan las pasiones más absurdas, te exponen y aventuran, dinamitan tu vida, la poseen e invaden para luego desconocerte; pero la amistad, ésa sí que es infinita.

A Miguel

No suelo citar
Yo nunca cito
Las lecturas viajan cultas y ocultas en mi ropa interior
    seda cortada en el cuerpo   la mano de Olatz   alta
    costura del fuego
Nadie las conoce   están en los silencios   en mi
    respiración infantil
o se muestran en la intimidad reveladora
bajo el neón del primer fuego del año
éramos los clásicos
tumbados bajo las sagradas telas de
    los contemporáneos
decíamos la vida de memoria   creíamos en
    la eternidad de los afectos
La inmortalidad de los padres   el deseo y el milagro
    del frío
Ese instante donde la belleza de las obras brilla más
    que tu palabra
Tu palabra irradia como la de cummings   Tus manos
    más pequeñas que la lluvia los espasmos
    del temible invierno
La cotidiana chimenea de enero y Nueva York como
    un taxi allá afuera
Cobrando cobrando cobrando
La vida como un cántico se transporta en
    los prodigios del vino
Los abrigos primarios los amores etéreos
¿Qué es el invierno?

El regalo de las botas rosadas   tu risa como un
    exorcismo individual y seis fotos del patio
    deshojado de ganas
Todo sobre nuestros inviernos era entonces
    predecible
Había aprendido ya que el año siguiente seríamos los
    mismos
Lavándonos las manos en una tienda de jabones
    egipcios
El frío reaparecería como esos poemas que uno
    recita de memoria
Pero yo no suelo citar
Yo no cito
Castigo al cuerpo: recuerda recuerda recuerda pero
    olvida
Por favor olvida un poco anda
esto se trata de olvidar.

XXI

Pasé más tiempo con Armando probándose su fantástico traje gris en Lafayette que decidiendo, con Miguel y Olatz, qué me pondría para atravesar la alfombra roja de la película. Yo no le doy tanta importancia al atuendo, pero el vestido Dior que ella seleccionó para mí me hace sentirme hermosa; su tono violáceo, aterciopelado, me enarca y sublima. Tal vez era algo que mi cuerpo necesitaba en este momento.

Lo que más me sacude son los contrastes que se suceden a cada paso, de un registro o interrogatorio a una alfombra roja. ¿Quién entiende mi vida? No conozco las medias tintas, los extremos han sido y serán para siempre mi estación habitual.

Me he dado cuenta de que, cuando no estoy en los extremos de un ejercicio riesgoso, no encuentro mi zona de confort. Padezco de una hiperactividad que exige peligro para navegar con destreza. Soy, de eso ya no hay dudas, la hija de un guerrero. En mi sangre viaja toda la inquietud clandestina, el nervio tenso que no permite aquietar o alivianar el carácter.

Llegamos a Cannes luego de una breve estancia en París.

París es la única ciudad en la que me siento bien sola. Está llena de túneles secretos que se comunican con sentimientos tan sutiles que aún no logro descifrar, pasadizos personales, reacciones involuntarias, gestos viscerales se proyectan sobre experiencias desconocidas y me esperan en la otra punta de mi vida, del otro lado de los puentes que hasta hoy desconozco, y que al parecer aún no estoy lista para atravesar. Es el momento de franquear los barrios en silencio, salir en puntas de pie del número 31 de la rue Fleurus, donde está mi editorial, justo al lado de la casa donde viviera por años Gertrude Stein, apretar el paso hasta encontrar el río, abordar un barco ebrio donde cenar callada al atardecer, y viajar, viajar en círculo, como si esperara a alguien que aún no está listo para habitar mi nave. Por ahora yo persisto, aguardo, porque esperar ha sido y es mi gran habilidad. Nadie como yo para incubar paciencia entre las cuatro paredes de una isla abandonada.

Mañana, mientras pisemos la alfombra roja, se lanzará a un mismo tiempo, en Barcelona y en París, mi nuevo libro, *La hija del guerrero*, mi primera novela, llena de confidencias, claves y enredos históricos que desentrañan el complejo camino hacia mi padre.

Intenté calzar los zapatos que venían bien con el vestido, pero eran demasiado pequeños para mis ya diminutos pies. Finalmente los dejé en la habitación, bajé descalza, pensé que nadie lo notaría, como el traje toca el suelo no se echaría a ver.

Ya en el lobby, fui debidamente presentada por Gerónimo al resto del equipo. Abracé a Armando, recibí la aprobación de todos por mi vestido, pero Olatz y Miguel se percataron, rápidamente, de que faltaban los zapatos. Andar descalza con altura es un don que no creo poseer.

Le reclamé discretamente a Gerónimo por el hecho de no haberme mostrado la película terminada, sólo pude alcanzar a ver fragmentos de la parte documental. Él estaba demasiado nervioso para tomarme en cuenta y sólo me pidió que caminara tranquila, mirando al infinito pero, sobre todo, que no respondiera nada a la prensa, y que si insistían o molestaban demasiado con asuntos personales, sonriera o sacara el teléfono, como si surgiera otra prioridad. ¿Para qué diablos me trajo aquí?, me pregunté mirándolo fijamente a los ojos.

—¿Pero por qué no puede dar entrevistas? —le preguntó Miguel.

—Pero qué elegante está usted, Miguel —contestó el actor evitando responderle.

Armando hizo un silencio cargado de preguntas, mientras Olatz bajaba con nuevos zapatos en las manos.

Flashes, gritos dirigidos a las estrellas que presentaban sus películas. Allí estaba todo el mundo, y cuando digo todo el mundo es que no vale la pena citarlos. Éste es el momento de recibir la mala noticia de que en ese mar de estrellas y celebridades uno, simplemente, no existe. Un nombre reemplaza el otro, una foto reemplaza la otra, y al final de la noche hay un pastiche de recuerdos que confunde y entorpece tu mente.

Pasé la alfombra aprisa, de la mano de mis amigos, protegida de no sé qué virus o agresión. Pasé la alfombra como quien atraviesa la cuerda floja a la altura de un piso 55. Apurada por Lidia, que no paraba de gritar:

—Avancen, que ahí entra Gerónimo.

Pasó la alfombra y fue como si no hubiese pasado nada.

Entré al cine derechita, con los gigantes zapatos de Olatz en mis pies. Paseé la mirada por las lunetas, busqué mi nombre entre las butacas y, oh sorpresa, había sido colocada justo al lado del actor. Gerónimo quería legitimar su historia con mi presencia. Sentí su perfume, esta vez era el mismo que usaba en La Habana. Se me hizo un nudo en la garganta, y en lo adelante me dediqué a sentir más que a mirar.

Gerónimo subió al escenario con su equipo. Por alguna razón me dejó abajo, no me pidió que subiera. Miguel, Armando, Olatz y yo nos miramos extrañados. ¿Por qué? Bueno, será que yo no soy actriz, ni productora, ni fotógrafa. En fin. Todos dijeron su discurso, hablaron en inglés, por supuesto. Aplausos, gritos, silbidos.

Enseguida apagaron la luz. El actor volvió a mi lado. Mis amigos estaban detrás, tocando mi hombro, haciéndose presentes, enviándome señales de cariño, de apoyo moral. La película no me pareció buena ni mala, era un filme extraño, demasiado largo tal vez, saturado de conjeturas que él intentó salvar con la ficción. Gerónimo siempre ha sido un excelente actor. Cuando aparecieron las imágenes de mi casa pensé en Márgara, que como un fantasma emergía desde la cocina, muy callada, mientras yo revisaba las fotos de mi padre. ¿Cuándo tomó esas imágenes? No lo recuerdo. Ver a Márgara allí, en Cannes, me recordó todo lo que hemos pasado juntas, y lo que nos espera cuando decida regresar a casa.

Gerónimo entró en el plano, lo vi moverse con la ingravidez del hombre que me enamoró, que me enroló en este proyecto y me llevó a aceptar quién soy, de dónde vengo en realidad. Rápidamente comprendí que esas imágenes fueron sacadas de las cámaras que habían sido puestas para espiarnos. Los ángulos coincidían, el grano y la consistencia de la imagen eran iguales a las que los oficiales me ponían durante los largos registros repletos de preguntas invasivas, basadas en vistas similares. Pero ¿cómo pudo conseguirlas?

Dos lágrimas bajaron a mis manos y los sollozos despertaron la compasión de Gerónimo, que, en el tono anterior a su salida de Cuba, me abrazó nervioso y me dijo muy bajito que no podía olvidarme. Odio la compasión, la palabra y el gesto. Yo no le creería nada de lo que hoy dijera, se encontraba bajo los efectos emotivos de su primera presentación pública como director.

Vi pasar lentamente las fotos de mi familia, la conocida y la desconocida. Confirmé que toda la información que puse en mi libro era correcta, también que mi hermano mayor había muerto de sobredosis en Miami. La historia era muy triste y la película cada vez más desarticulada. Cuando mi cuerpo se detuvo en la pantalla, unos segundos antes de los créditos, apareció un cartel en inglés y en español: «*This film is a work of fiction, and is not inspired by actual events*/ Esta película es una obra de ficción, y no está basada en hechos reales.»

—¿Cómo que no está basada en hechos reales? —pregunté a Gerónimo, indignada, mientras los créditos caían sobre mi rostro difuminado en el de mi padre. La gente aplaudía a más no poder.

—Silencio, por favor, después hablamos —respondió Gerónimo bajito, y muy sonriente, sabiendo que lo alcanzaban casi todos los flashes que se advertían en la oscuridad.

Salí huyendo del cine, corrí con los zapatos en la mano, arranqué despavorida y no paré hasta llegar al hotel, me pareció ver a Sting a la salida, pero detenerme a saludarlo era tan ridículo como permanecer de pie junto a Gerónimo respaldando su «ficción». Atrás dejé a Miguel y a Olatz, no reparé en ellos en ese momento. ¿Quién se acuerda de una mujer absurda como yo que se presta para asuntos como éstos? Al fin llegué a mi cuarto, y tal como estaba me cobijé bajo la ducha helada, desmontando bajo el agua mi maquillaje y el voluminoso vestido que ahora me parecía risible. Vomité lo poco que había comido ese día.

A los pocos minutos sentí la voz de Gerónimo que me pedía, desde afuera, que abriera la puerta.

Yo no salí del baño pero de alguna manera él logró que alguien le abriera, al fin y al cabo era su producción la que había pagado mi hospedaje. Entró despacio y se sentó en el inodoro a explicarme impasible, sin nervios, sin reaccionar ante la imagen que tenía frente a sus ojos, sin apenas advertirme bajo los furiosos hilos de agua que desarmaban mi figura.

Llegó poseso de su éxito. Sólo vino a defenderse, a limpiar su imagen y a tapar mi boca para que todo quedara en casa. Más allá del dolor que yo sentía por la manipulación de alguien que me había convencido de enfrentar la verdad, estaba la suya.

Me hablaba como se le habla a una niña que no acepta el divorcio de sus padres, o a una desequilibrada mental sobre los medicamentos que debe tomar para calmarse. Muy tranquilo, explicó lo inexplicable, lo que él no se podía dar el lujo de asumir pero asumía. Aun después de todo lo que sorteamos juntos en La Habana, justificó la censura.

Según él, fue el Departamento de Estado el que le informó que los archivos no estaban completamente desclasificados, que la mayor parte de la información proporcionada para esta película había sido revelada por fuentes no fiables. Pasará más de una década para averiguar si es cierto, pues los documentos del caso no serán abiertos hasta que Cuba y Estados Unidos se pongan de acuerdo, cotejen los pormenores del caso, que a su vez está vinculado con sucesos muy delicados aún por confirmar. El cartel final de la película era su único modo de protección. Mi padre fue, según algunos biógrafos, un posible implicado en el asesinato de Kennedy y, como todos saben, ése es otro proceso no liberado del todo para consulta pública.

No le creí ni una sola palabra al actor. ¿Quién puede confiar en él después de su cadena de traiciones?

Armando vino a mi cuarto, me quitó el vestido empapado, le pidió a Gerónimo que se fuera, hicimos la maleta y escapamos juntos de un lugar lleno de fotógrafos atentos a una historia que tampoco a ellos les resultaba verosímil.

XXII

Desde aquí arriba Cuba parece tan pequeña.

Tanta épica desde un territorio donde el agua amenaza con poner punto final y dejarnos hablando solos.

Las olas se enlazan con la tierra, parecería que el mar ahogaría el país; pero los límites existen y el agua siempre toma su nivel.

Hoy es domingo. No hay nada más deprimente en Cuba que un domingo a las siete de la noche. Me deprimen los domingos y ya son casi las siete, atardece, la luz filtrada con sal traspasa las ventanillas del avión.

Yo sé que a veces la vida allí abajo resulta infernal. ¿Pero acaso no es éste mi infierno? Aquí voy, en picado, aterrizando sobre asuntos propios que necesito recuperar.

Allá voy a buscarme, allí pertenezco. Ése es mi olor y ésa mi luz.

Estoy perdida y aquí vengo a encontrarme conmigo.

Cuando se abrieron las puertas del avión sentí una voz que decía mi nombre y mi apellido. La azafata francesa me pidió con amabilidad que, por favor, me quedara sentada y no abandonara la nave. Así lo hice. Saliendo el último pasajero, entró un cuerpo de oficiales con y sin uniforme, uno de ellos me informó que no podía entrar a Cuba, había sido cancelada mi entrada al país.

Esperaría allí, tranquila, se limpiaría el avión, repondrían el combustible, subirían los nuevos pasajeros y, en nueve horas, ya estaría de regreso en París.

Pero no tengo a nadie en París. ¿Por qué debería volver allí? Aquí está mi casa, mi única casa. Cuba es mi familia, Cuba es mi hogar. No tengo otro lugar adonde volver.

Pregunté varias veces por qué me prohibían entrar, y varias veces me respondieron que yo no tenía los requerimientos migratorios para volver.

Revisé con ellos mi pasaporte y todo parecía estar en regla. Examinaron el ticket con el número de mis maletas y ordenaron reubicarlas en el vuelo.

Me sugirieron que fuera a la embajada de Cuba en Francia para iniciar nuevos trámites de rigor y una investigación que esclareciera el tema. Les recordé que ya estaba en suelo cubano, que yo era ciudadana cubana y tenía derechos... ¿Derechos?, preguntó el oficial mirándome a los ojos.

Me recomendaron que me quedara tranquila y salieron dejando a un joven armado a cargo de mi caso. El oficial tuvo mi pasaporte en la mano hasta que empezaron a entrar los nuevos pasajeros y le entregó el documento al sobrecargo para que me lo devolviera llegando a Francia.

Un militar custodió la nave hasta que cerraron la puerta.

La tripulación me pasó a primera clase y una de las azafatas de Air France me alcanzó una taza de té.

Un ataque de claustrofobia invadió mi cuerpo. Ahí afuera está mi país, necesito correr y refugiarme en mi casa, pero no me lo permiten. Esto parece una pesadilla.

Despegamos. Poco a poco siento cómo Cuba se desprende de mi cuerpo, mi alma intenta sostener la tierra, pero ella me abandona, se despega de mí, ya estoy en el aire, pierdo la respiración, me ahogo, me disemino poco a poco, me vuelvo agua y sal.

Sin Cuba no existo.

Yo soy mi isla.

LOS POEMAS DE CLEO

EXCESO DE EQUIPAJE
Si me dejaran llevar todo lo que extraño
Si me dejaran cargar la isla y el milagro
No tendría adónde regresar.
No volvería a mí
Ni a tus recuerdos.

POEMAS EN CHINO
Me levanto cada mañana antes que el pueblo
Sólo para abrir la jaula a los pájaros que luego ustedes
    escuchan cantar
La noche se los traga y amordaza con negro
    terciopelo
La noche los traiciona y me despierto rota
Abriendo jaulas tragando lágrimas dulces
Soplando restos de mis alas muertas al amanecer.

Mis cejas y mis ojos fueron tatuados en chino y en
    condición muy leve

216

El verano en Oriente es de ese crudo dinástico y seco
  denso goce
Espasmo de ardores que estalla en la luz deslumbrante
  venenosa y ciega
Guardo de mi herencia estrábica esa ruta de breves
  dibujos eróticos
con senos calados
Vuelvo brevemente allí a mis pobrezas asiáticas de arroz
  tinta china y
sexo estrecho
Mientras ellas gimen de deseo yo en el mismo tono
  te nombro con dolor.

Tú conoces mis muertos y mis gestos y mis rezos a esos
  muertos que
llamas por su nombre
Tú les ofrendas comida a esos muertos y le sirves a mi
  escuálido
cuerpo que no traga que no bebe que no duerme que no
  vive aquí desde
hace siglos
Tú le pones nombre al pájaro y adivinas si es libre o es
  preso por su trino
Sabes que soy yo quien vive en el corazón del pájaro
La que come y bebe como el pájaro es la mujer que tocas
  y bendices
Tú no me libres del ritual que alimenta a tus muertos
  y me mantiene viva.

AUTOFICCIÓN
  Todo esto es apócrifo, mi vida es autoficción, si escribo poesía regreso a la idea inicial... Ciertas noches, dormi-

da, regresa la criatura que he sido, esa muchacha que tú recuerdas y se esconde bajo mis faldas sin domador ni camisas de fuerza.

Todo es apócrifo y yo soy un personaje de un filme sin rodar, versión de mis deseos que ni siquiera lleva mi nombre.

UNA JAULA EN EL CUERPO
Y ella que soy yo quiere abrir la jaula
jaula que me separa de lo vivo
Pero ya estábamos   sí   un poco muertos con todo
    y pájaros hambrientos de luz
Muerta de todas las palabras calladas en lo oscuro   has
    llegado a nosotros
Lista para deletrear desde el encierro ilustrado
intento traducir con fuerza mis letras grabadas
    en el cuerpo.

JAULA DE JUGUETE
Trampas veo en el camino
pero parecen flores   brújulas o espejos
Me hizo hembra la colección de jaulas que heredé de mi
    madre
Caí tan bajo como el grave sonido de mi orquesta
Allá voy   arrogante y cautiva
La embestida promete lo peor
Muchacha   jaula de juguete
Mi corazón virgen   coloreado   no hereda afrenta ni
    dolor
Y es que no hay jaulas en el cuerpo de una niña.

UNA CASA EN EL CUERPO
Aquí no hay escondite posible
vanidad o espejo
estructura nítida translúcida
límpida y desierta
a pequeña escala
UNA CASA EN EL CUERPO
de un racionalismo incómodo
equilibrio japonés de rota seda
balance injusto y gélido
sin altares ni flores   sin fotos   sin familia
de paso e insomnio
patrimonio y artificio
UNA CASA EN EL CUERPO
Nadie ha quedado aquí
Ni hijos Ni hombres Ni ideas.

BREVE BIOGRAFÍA DE ARROZ
Huérfana
nacida y criada en Saigón
desde niña pago mis cuentas
El añil conserva blanco el corazón del loto
En ciertas fotografías parezco una muchacha occidental
me interrogan cuando remo en el mangle y canto
        las verdades
Mi oficio es separar del arroz el jazmín
tengo como afición dibujarte en silencio
borrar las ropas que le sobran a tu cuerpo
Vives desnudo en mi diario de seda
sigo la línea a mano alzada   rasgo mi figura y te
        desprendo
Todo lo que he aprendido de las bombas se lee en pasado

219

vieja para ser adoptada y joven para la cordura   sigo
    a tientas
Yo sé mis penitencias   arrodillada y muda
espeso silencio   desconocido y provechoso
Paso en bicicleta sobre palabras vanas
mis pedales son navajas plateadas rompiendo el rumor
La estela de arroz indica el breve camino que recorro
    cada día
Vengo a pagar las cuentas de Saigón.

JUGAR A LOS ESCONDIDOS
Con el brazo en mi cara   sin hacer trampas   de espaldas
recostada en un árbol   conté infinitamente mientras
    se ocultaban
mil   dos mil   y al abrir los ojos   la noche
¿Dónde están todos?   Tanto tiempo buscándoles
Uno dos tres cuatro cinco seis siete ocho nueve diez
Qué lejos   qué sola   qué perdida en el patio de mi
    propio juego.

PROMENADE POR EL MUSEO PERSONAL
Cuando abandono, cuando parto, cuando dejo me dejo
    ir a mí misma
para siempre
un trozo de mi pelo queda sujeto al pasado
prendido en los alambres de un campo minado
me aíslo y me castigo
sangre en los espejos trenza de pesadillas y misterios
    violentos, violados
cristales que me hacen huir desesperada, clavando en mis
    pies el daño

para siempre
un hombre me acecha entre sus gritos mientras pido
    de rodillas el
plano del hogar
perdido
enclaustrado en nombres que voy reconociendo
azul de metileno, pueblos de naranja, purga y dolor
    de los dolores
cuál fue el hogar primero de los golpes, hubo un hogar,
    hubo un reposo
para este pavor profundo
cuando abandono quedan gavetas con arena
polvillo de mariposa vencida sobre la cama
oro sobre mis manos
vacío entre mis ojos
de parihuela en parihuela intentando llegar a ningún
    lado
fiebre sobre el cuerpo de una reina que va a ser cremada
    porque expuesta
causa pena.

LANZA MASÁI

A José Bedia

Dicen que de la lanza sólo importa el recorrido
Del recorrido depende tu destino
Ella ha saltado ya sobre tu cabeza iluminada
Corona tu viaje y ensarta cada intento de vuelo
Se encarna en el aire la protección sobre el daño y ahoga
    y aúlla con su silbido nocturno ciego memorable

221

Es el viaje lo que importa cuando gira femenina y segura
hasta alcanzar la herida
Ah la herida esa ya había sido abierta mucho antes de que
alguien puliera la punta de un delirio para salvarse.

Muchos años antes de ser lanza fue árbol y ahora es aire
y es sangre y es danza sagrada protección mágica
resguardo y fe
Mucho antes de ser capturada y coleccionada fue ira
veneno y antídoto
Mucho antes de ser arrancada del cuerpo ella misma era
un cuerpo que nos podía acompañar
Mucho antes de ser tuya eras tú mismo derramando tu
cuerpo en otra sed ajena desperdigando tu alma en
almas cautivas
Despertando un peligro del que ella siempre te defiende
y vence
Yo soy y he sido tu lanza masái tu cuchilla de seda tu
ofrenda
Arma y cuido   alturado contacto con el sol   saeta dibujada
sobre el secreto de la luna
Lanza hembra que cuida tu recorrido con el suyo
Resguardo de sextos sentidos y cánticos de piel
La que por salvar muere
La que escapa con la presa aunque pertenezca al cazador
Me arqueo cuando voy sobre tu espalda soy el deseo que
vuelve
Quepo en ti con o sin dolor
Soy tus ojos que ahora no ven todas las distancias
Liviana ligera y muda   acompaño tus pasos silenciosa
ungida en la humedad de otro combate escribo versos
en el aire
Troto al paso del guerrero que eres y has sido

Soy tu lanza masái
Me he entrenado sola en infieles combates
En el ejercicio la épica citadina
En la selva que desconoce el hombre
En la abstracta cruzada de tu cabeza cuando fumas
    mirando el agua
Soy el arma del guerrero que regresa intacto con la melena
    del león entre sus manos
Soy el corazón que late vivo más allá del cuerpo
Soy tu lanza masái
El día en que no regrese empalmada a tu cuerpo afincada
    a tu espalda
Vigilante y altiva
significa que te he salvado
No tengas miedo
Yo sólo soy y he sido tu lanza masái.

PALABRA DE ESQUIMAL
Por ti dejaré la nieve y esquiaré en la arena
no escribiré grafitis sobre el hielo
tendré acento de occidente y ropas de verano
mis dientes no ablandarán otra piel que la tuya
mi olor se diluye en tu lavanda limpia
así como el esturión pierde el caviar perderé mi nombre
olvidaré el rito del iglú la mujer y la presa
miraré el deshielo como agua de mi sexo
no regalaré al extraño lo que es tuyo al final de la noche
quedaré en tu cama toreando al fuego
borraré de mi boca el cebo y el pescado
dejaré en libertad los perros del trineo
intentaré olvidar el exilio del hielo
invernaremos juntos mientras duela el invierno

223

sobre el confín del iceberg, viajando en la isla blanca
sobreviven una lágrima helada de mi madre
y el murmullo suplicante de tu padre
tal vez la amnesia sea lo mejor
aunque todo parezca cosa de otro mundo
cazaremos juntos;
palabra de esquimal.

ÍNDICE

Impreso en Talleres Gráficos
LIBERDÚPLEX, S. L. U.,
ctra. BV 2249, km 7,4 - Polígono Torrentfondo
08791 Sant Llorenç d'Hortons